U0789450

論辨　記　題䟦

賈誼論

明君之於賢臣也或身用之或留於其子孫用之皆用也於其言也亦然或身行之或留於其子孫行之皆行也故或用其身而行其言或不用其身而行其言或身與言俱不用而亦用此明君用臣之心與謀子孫之道也漢興至孝文帝天下殷強海內充溢舉朝訢訢謂將成三代之治矣而賈誼以洛陽儒素年不及強仕位不及卿相抵掌闕下陳痛哭之言上危

亡之語天子慨然歎爲不及非其才之明而策之當而能傾動英主若此乎然而言不盡行出就長沙身終于梁傅則又何也於是言者曰誼初進言以疎賤之人計貴戚之事過於切直是以不得志此其說非知誼者也孔子曰邦有道危言危行邦無道危行言孫當有道之世而用無道之術是重誣其君也挾謏佞之智而欲行王伯之道是自欺其學也偷合苟容浸結權貴以求得志及其得志而後圖之是背本而賊義也此數者一介自愛之士所不爲而謂賈生爲之乎故曰此非知誼之言也言者又曰漢室素輕儒

術道不同故終不見用嗚呼是烏知夫明君用臣之心與謀子孫之道哉文帝之時其左右朝廷決天下之大計者皆與高祖披荆斬棘共起山澤者也否則皆先朝所擢之巖穴而用之廊廟者也其出就侯國者皆天子之叔伯兄弟也否則皆功臣之後也一旦以少年布衣加于老成貴介之上而且欲裁抑勳舊損削侯王大或至于召亂小亦必至於讒沮是不得用臣之福而先受臣之禍欲行其言而并不得保其身也是故出以老其才靜以俟其用計絳灌諸臣衰退之年當賈生強邁之日於是舉而授之此所謂明

君用臣之心也且賈生諸奏其大者在乎封建其言至善也其策至當也其憂慮至忠也而文帝遲之又久卒不及舉行者何也蓋其時淮南濟北諸王雖間有舉動旋就夷亡其他大國猶拱手受詔未有異謀苟即分更其制則必皆奮臂而起於是動兵勞民以大傷百姓此文帝之所不忍也假已之名以予人聚民之怨以歸己此文帝之所不欲也文帝曰吾不若及其治而後行之此則久安長治之業耳其後謀削諸侯而七國果造亂矣七國既平而主父偃等果遂能行其策矣終漢之世無侯國之變者偃之謀也偃

之謀文帝之謀也文帝之謀賈生之謀也而賈生之言罔已行矣此所謂謀子孫之道也雖然使賈生不即死而絳灌衰則必見用於文帝之世使文帝不即崩而七國亡則亦必身用賈生之言然而不能則命也乃世儒不察猥以不遇之言短賈生而罪文帝且士之欲得於君也將取卿相之尊用其身而已乎抑欲行其言也如欲用其身而已則後世之君養無益之臣知而不言言而不當以及於敗亡者胡可勝計也如欲行其言也則賈生又何嘗不遇哉

元祐三黨論

漢以上無黨自漢而晉而唐而宋以來代有黨漢晉唐宋之盛也無黨而其敗而亡也代有黨天下於是乎罪黨黨之爲禍也烈矣哉然自漢而晉而唐而宋以來宦侍者非黨而氣節黨跋扈者非黨而清流黨傾險者非黨而正直黨其所謂黨人者類皆吾之所欣慕者也其以黨之名加人者類皆吾之所疾惡者也天下而罪黨將罪其所謂黨人者乎抑罪其以黨之名加人者乎故曰黨也者小人中君子以危國家之名也夫君子與小人其不並立也若陰陽然此長

則彼消爾生則我死故古之聖人不減於羣陰壯盛之時而戒於一陰初生之候坤之初六曰馴致其道至堅氷也姤之初遯之二聖人皆有危慮焉明乎小人之退不盡其道必至于否剝窮陰而後已故君子小人競進則君子必日疎小人必日密其始也君子以小人攻小人幸而勝所用之小人轉而攻君子幸而不勝則又以君子攻君子至以君子攻君子而君子無不退小人無不進矣然所謂君子者或爲累朝之所顧命或爲人主之所深知或爲朝野之所倚重卽攻之未必退退之未必盡也小人曰吾中之以黨

名則雖累朝之顧命而不足恃雖人主之深知而不能留雖朝野之倚重而不敢救於是乎黨之爲禍葢浸淫流漫而不可止君子於此成不朽國家以此成敗亡吁可畏哉熙豐之間王呂之黨茅彙而進海宇洶湧莫不决齒而甘心焉而熙豐無黨名哲宗之初聖母在上羣賢在下始之以司馬繼之以呂范其經筵則程氏之道德也其文翰則蘇氏之文章也其輔相則劉王之政事也此數公者其於君子小人何居也然而元祐名黨矣嗚呼黨之爲黨果何如哉葢熙豐諸人閟鬱于下怨入肝髓日窺伺間隙以求得志於是陽附於君子之門而陰搆夫黨錮之禍洛朔蜀之名成而熙豐之黨進矣或曰三黨之名葢諸君互相訾謷而成也於熙豐何有焉吾嘗讀程蘇之書矣其議不合非無黑白之迹是非之分也然究未嘗以黨相目且諸君子不以黨加於熙豐之間而以黨加於垂簾之際一何惑也若曰轉三黨者爲之也此正熙豐諸人所謂陽附而陰搆者矣張商英之在元祐也上詩求進諂佞無恥而紹聖之乞毀碑者商英也周秩之爲博士也親定謚號自附正人而紹聖之乞斵棺鞭尸者秩也子瞻之黜英州也全臺劾其先是

制詞多詘詬語范公曰言者皆當時御史何不卽納忠而今乃奏耶由是觀之紹符之黨人元祐之黨人也元祐之黨人熙豐之黨人也洛朔蜀諸公又何與焉然則此數公者皆無可議者乎曰此則有辨伊川先生之於宋也猶其有泰宗兩曜也登高者望之以爲表處闇者依之以爲明萬古長夜望之以爲昏旦若蘇氏兄弟特文章之雄耳楊康國之言曰其學爲儀秦其文爲縱横捭闔無安靜理用之又一安石也此可謂知蘇者矣夫使荆公當日無神宗之遇備位制誥中若蔬劄騁文辭更不幸遷徙炎荒窮海之鄉

鬱鬱不得志以其所欲爲立言以垂不朽後世讀其書慕其爲人如見伊呂焉不知其敗壞滅裂如今日也而且相與歎其不見用使三代帝王之治不復見於後世豈不重哉故荆公不幸而見用於神宗而首惡於熙豐子瞻幸而不見用於神宗而垂美於元祐而要之爲內翰則有餘爲宰相則不足子瞻之與荆公一也不然王雱欲斬韓富之頭以行新法荆公悚然曰女誤矣荆公以異已之敵猶知韓富之不可非子瞻以同類之賢而不知伊川之不可毀以此乘時在位其於進賢退不肖何如也范公九年之奏曰當

狩臺諫如王巖叟朱光庭賈易等皆素服頤之經術故不知者指爲頤黨則洛之與朔固未嘗有訾謷之事又安得有分黨之名哉惟蘇氏以歌哭葷素之瑣節闘過於伊川之門使熙豐諸小人得乘其間而散入於其中出其蟲鼠之技轉相掊擊以黨之名中洛朔而即以黨之名中蜀以成紹符建中之禍而子瞻不知也古人有言朔自守之兵也洛應敵之兵也蜀侵隣之兵也由是言之其開關而揖盜者非蘇氏也哉然以蘇氏爲非君子也則又不可夫蘇氏特其學未醇耳其才剛毅明決風生而嶽立黨逐窮荒而愛

君忠國之思百折而不可磨滅豈若後世齷齪細儒干依正類操戈矛於堂弄雲雨於手其智出熙豐下哉且熙豐諸人變幻百出以搆君子流其身籍其家追奪其爵號羅織其子孫其得計殊甚也然腐儒稺子讀數寸之史輒唾詈而恚恨之不置而程之道德蘇之文章王劉之政事長存天地間者因黨名而益著黨顧何累於君子哉且使天下之爲經筵者至於程爲內翰者至於蘇爲輔相者至於王劉諸子而曰黨人也然則人主將日求黨人而師之友之臣之之不暇而又何罪焉故曰元祐非黨也豈惟元祐自漢

而晉而唐而宋以來之所謂黨者皆非黨也然則無黨者乎曰否以黨之名加人中君子以危國家者皆黨也

以子瞻與荆公一例而論未免太過子瞻主救而多忠諫竊竊不忘君國救之行新法禍流天下執意是毒遺害類相去固自天壤第篇中許之為詞翰則推為宰相則不足所為二人定評再仿也蘇文忠公文縱橫捭闔其學未純耳

而晉而唐而宋以來之所謂黨者皆非黨也然則無黨者乎曰否以黨之名加人中若干以危國家者皆黨也

答谷宗師論曆志

蒙發天文志已細細同陳生較訂訖謹如限繳進第中有不得不言者葢天文一志歷代皆有定說大略相承加多加密而不大相遠凡一代曆法進退損益及躔緯占驗之原皆從此出不可不慎也先朝宮盼限度積分俱集前代大成未嘗創改迨至懷宗時始有西曆一書然未經會通中曆確有定論須布海宇則此書在先朝尚爲未定之書但可資其議論以究天學異同若以爲明天文志如是則是從洪永以至熹廟其時皆無天文也其時之所謂天文皆非也今所發天文志大約撮取遠西曆書中一二種雜以鄭端簡天文述据湊成書與先朝原法踰遠夫所謂一代之史之志必使後人據書握筭可以求此朝之成法可以求此朝成法之疎密是非可以求此朝政令徵驗得失之故今乃盡去舊法而但取末年未定西域一國之書以爲一代天文如是其爲作者荒瞀之責小天下後世執此以誣先朝之法其罪安歸乎故某前謂曆法一志必須細細推算種種脗合又須博徵故實章疏考訂明確方可操縱成文誠不敢抄撮急就以塞一時之責也今將此志中難解者一一粘

出共計粘票八十二紙其票粘未盡者細陳左幅惟
師臺裁正

辨經宿

三垣二十八宿各有所屬之星星有定數數有定位歷代以來中國相傳不易其從北極分十二辰次以定赤道限度亦歷代相傳不易從未有以辰次割裂星宿者也故凡天文志中分列經星所以爲觀占推驗之用自宜逐垣逐宿逐座交還完確今但取西人分宮表度編作星經或一座而割裂於兩宮或一座而割裂於數宮本宿忽失數星他宮忽多數星令觀

者茫無覓處此雖明於經緯者尚費查考遺之後人竟成夢話矣不寧唯是幷於西人之說又多紕繆如今所票粘者正復不少以此爲志何以示後世以觀占推驗之實乎

辨黃道極

北辰爲天之樞萬古不易日行爲七政之紐歲歲不常究其細微蓋緣日積而成歲刻積而成日則是不常者刻刻有之分分秒秒有之也其六十六年八閣月而退一度固顯然可見者矣惟其不定如此前聖賢於帶天之紘處立爲一定之所強名之曰赤道分

天爲十二宮以爲日行不定者立法宮者日月星辰之辰是也是出萬古一定之度列萬古一定之宮不可移易者也故聖人曰居其所而衆星共之居者日日如此居共者日日如此共惟其不易也而後於其不常者立法求之不常者有常可求焉於是月之出入於黃道者遠不踰六度亦猶日之出入於赤道者遠不踰二十三度九十分三十秒也月二歲十三轉有奇又白道斜正上下遲速不常踰甚因黃道不常之常者求白道斜正上下遲速不常踰甚者亦有常可求矣五星之出入上下遲速進退於黃道者别有

多端之不常一一皆以日爲主則姑且弗論若是乎不常之可求如此豈非以黃道乎黃道不常何以可求豈非以一定之赤道一定之宮辰乎赤道宮辰何以可求豈非以萬古不易之樞尊而無對之北辰乎北極之於赤道其重如此如日黃道自有極七政藉之運行則此北極者離所謂黃極也者二十三度有奇而時時刻刻分分秒秒拱黃極而流轉與衆星同拱黃極也然此黃極者二萬四千三百五十年餘則成一黃極小規矣小規之徑以前人之度度之蓋長四十七度八十分六十秒云黃極則背負小規所負

之規亦分三百六十度亦六七十年而移一度且漫言時時刻刻分分秒秒而漸移也且漫言二萬四千三百五十年餘而移一大周天也夫人拱而向之注目而認之定爲黄極矣但見黄極也者亦爲北辰一日一周而成一小規云徑之長以前人之度度之蓋四十七度八十分六十秒云虛空難以定其極置爲黄極渾儀規而觀之北極蓋去黄極二十三度有奇云北辰蓋一日一周黄極云北極蓋二萬四千三百五十年餘而一大周黄極云北辰時時刻刻分分秒秒而漸移於黄極云北辰者且不安其居拱黄極之不暇而何暇受衆星之共云伏而思之鳥火虛昴取象於蒼龍玄武白虎朱雀以定四方四方定矣宫辰分焉列宿序焉後世宗焉曆法寄焉皆恃有極焉以爲之主也極者不移之謂也非時時刻刻漸移之謂也居者不移移者不居居與移兩無所定衆星亦無從而共矣二十八宿距星可擴不可踰一十二辰位次有方難可改將舉而名之曰東玄武西朱雀南青龍北白虎愚祗未之能信也學者眼眶不大止見得目前四千餘年內之事未能了夫二萬四千三百五十年餘之事然約略言之或不大異耳竊謂誣天之

行莫可憑於一時誣明之史難取信於百世關係甚鉅是以冒昧唐突知犯忌諱而不敢默默也

辨瑞星

老人星去極一百四十三度四十三分去南極三十九度一十九分五十秒在順天北極出地四十度之處南極入地亦四十度老人星常隱不見此係經星恒度非若七政錯行彗孛含譽等隱見不常者也然則永樂四年二月庚辰旦老人旦見及累朝數見者恐未足信後世之識者也若在順天而見則必歲歲同之何以他年不見也葢老人星在南極入地三十

六度之處見之頗難旦見丙未幾而日出星隱矣夕見丁卽淪入地中不見矣故謂之瑞葢在千餘年前三十六度之地今歲差漸移卽北極出地三十六度之處未旦而先見夕見而不卽没矣如今日浙中北極出地三十度有奇之處冬春之交夕見數月夏秋之交晨見數月不足爲奇也

辨七政

天地之理有逆斯有順（上九字原槀另書格外疑可删去）文曜麗乎天其動者七是爲七政七政右迴者逆數也易曰數往者順知來者逆易之爲數也逆易日月也陽變陰

合而生水火木金土五氣一陰陽也陰陽一太極也太極易也其用爲二五二五者七政也以故七政皆主逆洪武十年春太祖與羣臣論日月五星之行翰林應奉傳藻典籍黄麟考功監丞郭傳皆以蔡氏左旋之説對上曰天左日月五星皆右朕自起兵以來與善推步者仰觀二十有三年矣甞於天清氣肅指一宿主爲太陰居其西相去一丈許盡夜則太陰漸過而東矣爾等不明論之豈所謂格物致知之學乎然七政皆主日日率正則諸率皆正日大明陽之精光太陰承光夜明五緯因之而有遲疾留行順逆焉七政惟日有光一天威柄不下移也月星皆無光賤陰也依日以爲光藉天子寵命以出政於四方也向日則昭明背則魄伏示順逆也近日則光盡上不可偪也日麗天而列曜息陰不當陽也當陽則人主憂日所行曰黄道黄道無定體因其所行强名也南北二極之中各九十一度三一四三七五是爲赤道赤道定位也亦强名也赤道定而後黄道之無定者亦有定焉月所行曰白道白道出入於黄道内外亦猶黄道之出入於赤道强名以求定也黄道相距最遠者二十三度九十分三十秒冬至夏至日所在也黄

白相距最遠者六度日行舒月行速當其同度是爲合朔舒先速後近一遠三是爲弦相與爲衡分天立中是爲望以速及舒光盡魄伏是爲晦月循黄道內外而東近北入黄道內曰陰曆近南而出黄道外曰陽曆陰陽體相遇爲會會於黄白相結爲交而食生焉故曰交食日君象也下有失德應合於天而適相値理數参也日食陽不勝陰也月食陰不避陽也月食行入闇虛異地見同故無時差日爲月所掩其時刻分秒九服見殊時差立矣日輪大月輪小日道近天在上月道近人在下小掩大近掩遠故日食既時

周圜光溢出如金環也日月變色失光芒彗角鬬盪小戴爪耳足如人摇隕並見出非所王者惡之五緯水火金木土日用五府之精光也五緯各自有其道出入於黄道內外故亦因黄道求之太陰因日爲望晦而不因日爲遲疾五緯不因日爲盈虧而因日有遲疾順逆也近日而疾遠而遲伏後而疾而遲而留行皆順留而退而又留行皆逆留而復順行而遲而疾而伏而爲一周合後見於東曰晨段見西曰夕段北齊張子■悟有盈縮之變而加減常率以求其逐日之躔頗親密矣水行最速一瀉千里金行世如流

泉三月改火木歲一凋落土博厚不遷故金水附日歲一周天火二歲木一紀土二十八歲一周天土名塡讀如鎮以靜爲體讀如田其用塡塞也木八十三年而與日合者七十六火七十九年而與日合者三十七土五十九年而與日合者五十七金水雖依日然金八年而合於日者五水四十六年而合於日者一百四十五七政自下上一月二水三金四日五火六木七土金火近日略同然金仰得光而返景火俯得光而順施故火之效爲尤著土最高月最下皆遠日非濕卽冷木居土寒火熱間氣和平以故祥歸木

灾歸火也五星行列宿視所好惡遇所好則所惡反之凡五星起怒芒角扳劍反羽凌鬬貫環蝕呑戴勾已同光牝牡晝見經天七寸以内犯列舍星宿各以其所臨爲占正德二年五官監候楊源疏言熒惑入太微帝座前東西徃來不一宜思患預防時劉瑾亂政輒矯旨杖戍之嘉靖三年光祿少卿樂護上言正月五星以次聚室太陽臨近隱伏不見天象暗聚流氣降精占曰五星聚是爲改易有德受慶子孫蕃昌無德失國家百姓流亡陛下初承大統五星適聚可不益脩聖德以承此大慶乎崇禎初日食不合諂議

之海鹵法謂太陰朓朒之故一因赤道上之黃道升降不齊凡月離正降六宮則朔後疾見斜降六宮則朔後遲見離正升六宮則晦前遲隱斜升六宮則晦前疾隱一因白道距黃道之南北在北卽入地後黃道疾見在南則入地先黃道遲見一因月視行度之遲疾視行爲遲段則朔後見月遲爲疾段則朔後見月疾至若五緯異行各有嬴縮加減凡星在歲行規極遠之所必合於太陽其行爲順而疾體見小在歲行規極近之所其行爲逆而疾體見大若土木火三星行逆則衝太陽金水二星行逆必夕伏而合行順

必晨伏而合其各星之順行而轉逆逆行而轉順之兩中界爲留留者非星不行乃際於極遲行之所也各星見伏之限以地平障蔽日光晨昏光之久暫不等星■時刻又自不等故一以地平爲主大約星在黃道南則度多在北則度少矣統論見伏之因一以太陽下於地平一以星在緯之南北一以極出地高下一以黃道升降斜正不第以太陽距度爲定也其論頗細膩與中法略殊考正曆善詳之

辨分野

乾坤交而變化生變化生而調御出帝王俯仰之功

所以勤庶績以承休光猶痌觧之於肢體百絡縷分一歸於心故手足不相覺而脩救至傳曰四方有敗必先知之葢有其道矣周禮保章氏辨九土封域各有分星以觀妖祥戰國時臯唐甘石諸家主十二州兼斗秉以察禨應漢志分次具詳之又有費直說周易蔡邕月令章顛不同若陳卓張衡京房譙周等更言所入宿度又加異矣唐貞觀中李淳風撰法象志始以唐州縣配之而一行以爲天下山河之象存乎兩戒北戒負地絡之陰以限戎狄爲胡門南戒負地絡之陽以限蠻夷爲越門河源自北紀與地絡會行

謂之北河江源自南紀與地絡會行謂之南河觀兩河之象與雲漢之所始終而分野可知矣雲漢自坤艮北斗自乾巽其分野與帝車相直皆五帝墟也列舍在雲漢之陰者八爲負海之國在陽者四爲四戰之國其說最精密云夫天之列舍盡於二十又八而地之周徑以億萬計其於中國十二州次不啻數十億而一也然王者盡以配我疆域候符咎如景響答焉豈列宿之所臨主盡是耶上下中和清淑之氣於是焉聚是爲天地之心所長存也其區隅遠緲皆有仰觀之法若回回遠西諸國亦能言象度以測運緯

雖名號不同星躔分次亦列十二宮以爲準至星位離合則與諸夏特殊若斗杓則易爲熊尾南門則分爲馬尾及腹敗臼則破爲火烏等牽聯截割非中國之舊皆茫茫不可辨彼土用以占步亦復有信矣然則氣數之所通感統之至大且尊析之至雖甚纖細莫不具天地往來消息之故故自天子公卿大夫士庶人及遠夷血氣之屬皆當知戒謹修德業以答天意焉而其爲大且尊者固有常主哉若夫海宇裂王畛域數分一象則共占共占而各驗此又天道之遠錯綜互變非智術所能窺測也洪武十七年大明清

類天文分野書成凡二十四卷詔賜秦晉燕周楚齊六國大抵欽天監十二分野分配州郡與唐志稍異古之辰次與節氣相係各據當時曆數與歲差爲遷徙今更以七宿之中分四象中位自上元之首以度數紀之而著其分野其州縣改隸雖不同但據山河以分爾晉天文志十二次始角亢以東方蒼龍精首也唐始女虛危以十二支困敦首也其以斗牛爲星分之首者日月星起於斗宿古之言天者由斗牛以紀星故曰星紀則星紀爲十二次之首而斗牛又二十八舍之首也太祖應運肇基而南京應天爲星紀

斗建之分與三統之正相協數千年間帝王之運適符於今豈偶然哉

辨象占

天人上下一氣之屬其理與數不相間政變於下則上應象變於上則下應吉凶倚伏互相爲根自然之符也然天文應異及日月薄蝕緯星犯守鬬合諸異曆家皆有恒法求之雖密合親疎法人人殊皆可以推步得焉故崇禎戊寅熒惑守心西海曆家言五緯各有常行當其留不以堯舜而避當其退不以桀紂而延以故守心非災豈古所稱天象變占感召之理皆非與古大順之世王者恐懼修省兢兢於天命之不易而其時薄蝕凌犯之事少當衰亂怠棄則益多代不爽也譬之陽燧取火方諸取水易鏡求之則不應抑又何歟明高皇久行間孰知乾緯及即位徵集諸言天家至京師議法象搜抉徃牒幷華夏海夷之術今古畧綜至於省災禳戒符瑞敬天勤民尤不敢忽焉故其訓戒諸王及飭諭羣將皆非疇人昇士所能測列宗相傳明時觀變凡以謹天命察幾宜咎謝以撫人事代無差貸也嗣及中葉象緯之學闕如保章馮相守成法而不知變欲以形先察徵脩救曆數

以輔成至治難矣懷宗初年慨然欲改治之特命開局於京師兼收中外諸法將會歸以垂鴻摹會國變未成也今考恒星雲漢經緯之次七曜運行儀測分躔歷舍之道載在靈臺行於朝野者采著成篇雖術法繁移其於一朝得失之故不可誣已若夫象曜陰陽之異星精犯合流隕之占其理與政事俯仰雖推布有常度而災害在國君大臣夫月毀於天而魚腦減於水東風至而酒湛溢陰陽迭感之故灾豈無意哉故時數會則氣滋氣滋則幾兆幾兆則象懸於上事形於下天下不知其所以然而適相值是爲主德

主德所及運會生焉是爲天道天道者大人之精符王事得失之先著大防也知之脩懼謂之聖人其義固有出於曆數推步之先者與用備載簡冊以昭鑒戒通三五焉

友硯堂記

予幼嗜研石所畜不下二三十枚其佳者纔四五耳憶甲申與從子亮功游杭見一青花紫石兩人爭出直買之亙增其數至過所索賈反託不售歸相咎者數日予卒以厚直得之亟呼良工趙三者斵爲宋歙抱臥累月不厭其癖可笑率如此時交游皆浮薄所謂社盟名士習知不過八股寫八股之研不過市間石片鑿水池或更於旁穿穴納線絡頸下入試一枚可值二十許錢極矣見予所嗜研輒怪而非笑之予研大率得之骨董肆中及山人門客之以骨董謁者

初嗜古繼嗜奇最後乃嗜端石每嗜必受骨董之詐故畜多而佳者少然因欺而盡得其理故歷之久而解識益進若朋友淵源贈受之道則曾未之及也遭亂竄跡山水其佳者不忍舍則托之村友村友死於兵研盡散失不可問戊子以後歸理筆札則亦買市中石片磨墨故友孫子度過而悲之贈以脊槽小端硯予自此復有研初予之交子度也亦以盟社集崇福禪院獨予兩人坐大殿出所作詩相質子度攜新得澄泥研及程孟陽書册玩語竟日社人皆笑子度手予詩卷題曰吾兩人當爲世外交詩文其餘事耳

它日復示書曰吾輩今日無可爲惟讀書力學事事當登峰造極定不落古人後自此俱不復與社人通嗟乎子度吾眞友研吾眞研也辛卯子度死予益落魄不自振已亥遇餘姚黃晦木童時曾識之季臣兄坐上拜之東寺僧寮葢十八年矣當崇禎間晦木兄弟三人以忠端公後又皆負奇博學東林前輩皆加敬禮所與游者負重名如梅朗三劉伯宗沈崑銅吳次尾沈眉生陸文虎萬履安王玄趾魏子一者離離不數人天下咸慕重之一二新進名士欲游其門不可得至有被謾罵去者旣亂諸子皆亡落略盡而晦

木氣浩岸如故後起不知淵源習俗變壞益畏遠之然晦木固不能一日無友者左右前後顧則索然蕭矣於是得予則喜甚曰是可爲吾友晦木求友之急至此葢可悲矣晦木性亦嗜研時端州適開水坑同邑有官於粵者予從購石十餘枚與晦木品其高下晦木又喜以爲有同好也謂予曰予兄及弟予所知也有鄞高且中者此非天下之友而予兄弟之友也戊子遂與且中來其秋太沖先生亦以晦木言會予於孤山晦木且中曰何如太沖曰斯可矣予謝不敢爲友固命之因各以研贈予從予嗜也其研有出自

梅朗三陸文虎萬履安者其人雖已古然繇三子之交而追之或冥漠所不拒孟子所謂友天下之士爲未足者非耶予又自幸其友之足尚也因以友研名吾堂同邑吳孟舉見而喜之孟舉新獲研出自黃澤望遂以見贈澤望固予所慕而孟舉又友之宜進者亦受而登諸堂吾友與研於是乎盛矣或曰子之友盡此乎予曰非也或不能得研或有研而不必取又烏乎盡然則子之名堂也得毋重研而輕友乎曰否予之研固不盡此也研雖良非良友不以登吾堂吾友良雖無研亦不敢不登也

八角研

餘姚黃太冲名宗羲所贈也研八角而不勺角當四正體狹長兩旁角濶頞又狹於下背作扁角三足有銘即用六朝回文舊語而中刻耶蘇三角丁圓文其質則歙之龍尾也太冲詩云一硯龍尾從西士傳之朗三傳之我燕臺須洞風塵中留之文虎亦姑且十年流轉歸雪交治亂存亡淚堪把未幾失去又十一年而復得之遂以見贈

紅雲硯

餘姚黃晦木宗炎所贈也石青紫而有紅文若覆雲

者故名晦木以黃金屈戹一銀幾兩得之其製濶邊小槽晦木亂後物皆散盡惟此硯匣存出入必偕其第三子百世尚未婚晦木云吾將以此硯聘佳婦已見予嗜硯卽以畀予而晦木子適爲予婿晦木因作紅雲硯詩以贈詩曰幼不學問多拘惑購石斵硯勞心力南唐沉泥宋龍尾洮河鸜鵒誇耳食西園磊磊成石林豈顧寒厨炊煙息磨礱旣久美惡判寶硯無如端谿善端必下巖之子石天生硯材千古擅搜奇弋詭又十百最上絕倫有雙硯飢寒剔剝患難逼干戈死喪頻鍛鍊衰翁煢煢止一身更無他物樂晨昏願言雙硯盟偕老相隨松城縈蔓草大兒殭倒小兒號去兵去食甘立槁又割片石易握粟单輪隻翼生趣少尚擬守此度餘年夜雨慘澹孤燈前刳心鐫腸鬼莫知淚落硯池生寒泉憶我弱冠授室初細君弄物黃金觚奪來易此一片石墨華璀粲香披敷三十年來惡夢長石與予兮共理光馬隊講肄固不宜趙璧塵甑豈相當我今屛息對奴隸頑石止堪補泥牆語溪呂子間世才刃鋒凜凜辟氛埃義理深究紫陽旨經綸自喜管樂比健翮負天畀梟雁窮老如予何益子三生九死敦夙好縮衣節食佐行李文人屋好

幷愛烏且愛頑石過璠璵予曾戲言效米氏欲以研易小樓居子直笑頷不爲怪天壤何人識此迂吾兒二十尚未婚靦焉爲父徒欲獻子能相之驪黄外衣子之衣廬子廬吾思報子貧無術形影相隨止片石贈君兼作紅雲歌紅雲灼灼臨清波温如處子艷如荷稜稜手采藏柔和鈔經箋傳闢邪說斧鉞亂賊誅么麽

鳳池研

鄞高旦中斗魁所贈旦中有研二皆萬履安所與其一爲澄泥唐槽履安遊於杭得此研即馳書旦中曰近得張伯雨研圓體三足其池作鳳形盤其尾轉與味相及刻句曲外史印文曰貞居背有銘曰交文明考文德紓九苞輝翰墨字環書作小篆蓋奇物也伯雨雖元人其高致亦可尚友也

肩槽小硯

同邑孫子度奕贈予淡青端石杭人趙三所琢高三寸廣一寸九分

卣硯

同邑吳孟舉之振見贈癸卯春夏予與太沖旦中坐水生草堂與孟舉自牧諸子倡和甚樂忽得晦木書

云澤望病劇以此硯及石田衡山書售爲藥價太沖且中踉蹌東去澤望竟不起此物遂歸孟舉憶予年十四見澤望于東寺氣象偉然與予度坐禪榻論司馬温公集予側聆之不敢問難近得遊太沖晦木閒謂旦暮見之不意遂死今得此硯如見其面豐然其目修然其聲琤然又足感也研嘗爲嶺南梁稷非馨所購天然石樸面滿黃臕中穿蟲蛀開竅以磨墨予改爲卣研初高二寸許破其半作唐槽歸之太沖爲黃氏續鈔研

山高月小硯

同邑吳自牧爾堯賻也亦甲申遊杭所得凡三石一爲宋款次爲瓶研此其三也從子亮功爲予銘且序曰叔父得端谿舊坑石子方六寸四周天然面浮蕉背綠文如畫工所設遠山者有眼半蝕文上如隔山待月方過此嶺文左可着墨墨痕初溢如山雲欲雨坡陀滃鬱或旁注眼上則翳月微露清光猶見也因以山高月小名而命宜銘銘曰秋月明秋山横壯士過之悲生反謂秋氣之無情乃有怨怒愁痛之聲秋月爲之低昂秋山爲之不平化怪石如肝肺以成雕琢之奇山鈍月角融結而入乎文字聲詩使天陰欲

雨庭無月時借置吾廬爲苦吟資久假不歸飽墨淋漓頓首嗽詞曰宣欲之叔父其撚須一笑而許我分癡乎此銘久失之研亦從村友散亡流轉至自牧乃割贈時從子壻徐大竹適至於舊簏得亮功遺稿一帙見畀此銘在焉遂勒之又一段奇事也

往時交遊道盛余與陸文虎梅朗三數子獨有研好所畜多絶品外舅葉六桐先生友人王子樹皆官粵中不能致片石最後萬履安以曹秋嶽之力搜訪亦未見有余敵者亂後雲煙過眼一時交遊亦零落爲異物余從樵人瀑布嶺下拾土題名而

已因歎交遊之盛衰關於世運之升降而硯石之聚散又關於交遊之盛衰如李格非之記名園一例也讀語谿呂用晦友研堂記朱鳥欲來關塞且黑毒龍未怒環劍可求耿耿者久之信有生習氣之不易除也雖然用晦之友卽吾友用晦之硯卽吾硯往時之盛蓋庶幾復見之契弟黃宗羲跋

題錢湘靈和陶詩

和陶始東坡山谷稱其出處不同氣味相似此山谷阿所好耳氣味那得似淵明有所不可者也東坡無所不可者也平生沾沾於升沉得喪之際鬱勃輪囷孤憤懟恨一變而爲禪悅爲神仙方技爲任俠爲滑稽爲飲酒近婦人爲排闥縱横之説以無所不可爲達正有大不達者存也其和陶也游戲韻脚亦無所不可中之一耳後人沿而和焉是又刻東坡之舟也然吾得一人焉爲張北山北山當德佑以後徵書至門遺民瀾倒如平仲文海幼清子昂諸人皆不能自立獨北山堅拒以東海大布衣終其身可謂得義熙之志矣和陶雖在東坡後而有所不可即居東坡前可也自餘和者皆非和陶乃和蘇耳虞山湘靈乍嬰塵網旋返自然澡雪氛垢怏然可無遺憾殆天所以成其和陶乎宜不得比東坡之達也讀其詩寄託高遠脱去纆索其於古人固有曠世合節者矣獨其於有無不可之間爲陶乎爲蘇乎認得淵明千古意南山經雨更蒼然此在湘靈自勘之余固不能辨也

題高虞尊畫像贊

凡今幅巾不耐澹薄望火日游其狀磊落佛門兒孫侯門翼角不知其隱安問其學歸然此老氷懸雪壓雙趺憲然八字着脚後未或知曩則已確其圖可傳斯名不怍

自題僧裝像贊

僧乎不僧而不得不謂之僧俗乎不俗亦原不可槩謂之俗不叅宗門不講義錄旣科唄之茫然亦戒律之難縛有妻有子喫酒喫肉柰何衲裰領方短髮頂禿儒者曰是殆異端釋者曰非吾眷屬㬰東不到家西不巴宿何不袒裳以遊裸鄉無乃下喬而入幽谷然雖如是且看末後一幅豎起拂子一喝曰咄嘮叨箇甚麽都是畵蛇加足

書舊本朱子語類

壬辰夏買此書爲書船所欺自三十一卷至六十六卷俱闕而自此本至末凡十本又重出全書中又多爲庸妄人所批抹侮聖人之言小人而無忌憚至此每展閱時恨怒無已書此示兒輩讀書無論聖言當加敬畏卽古人文字亦不得輕肆動筆且以戒與書客買書當細對卷葉翻看汚損勿輕信而怠忽焉也

書大學切已錄卷首

江西有程山一宗皆以隱居講學爲事有南豐謝秋水名文洊著大學切已錄自序謂向宗陽明力否朱子其實並未曾讀朱子書惟據先入之言幾成黨同伐異之見至乙未閱李寅淸大學稽中傳丙申始取朱子書讀之乃著此書然仍皆調和兩是之說未可謂之曾細讀朱子書也蓋先入之害如此

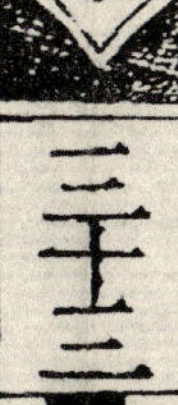

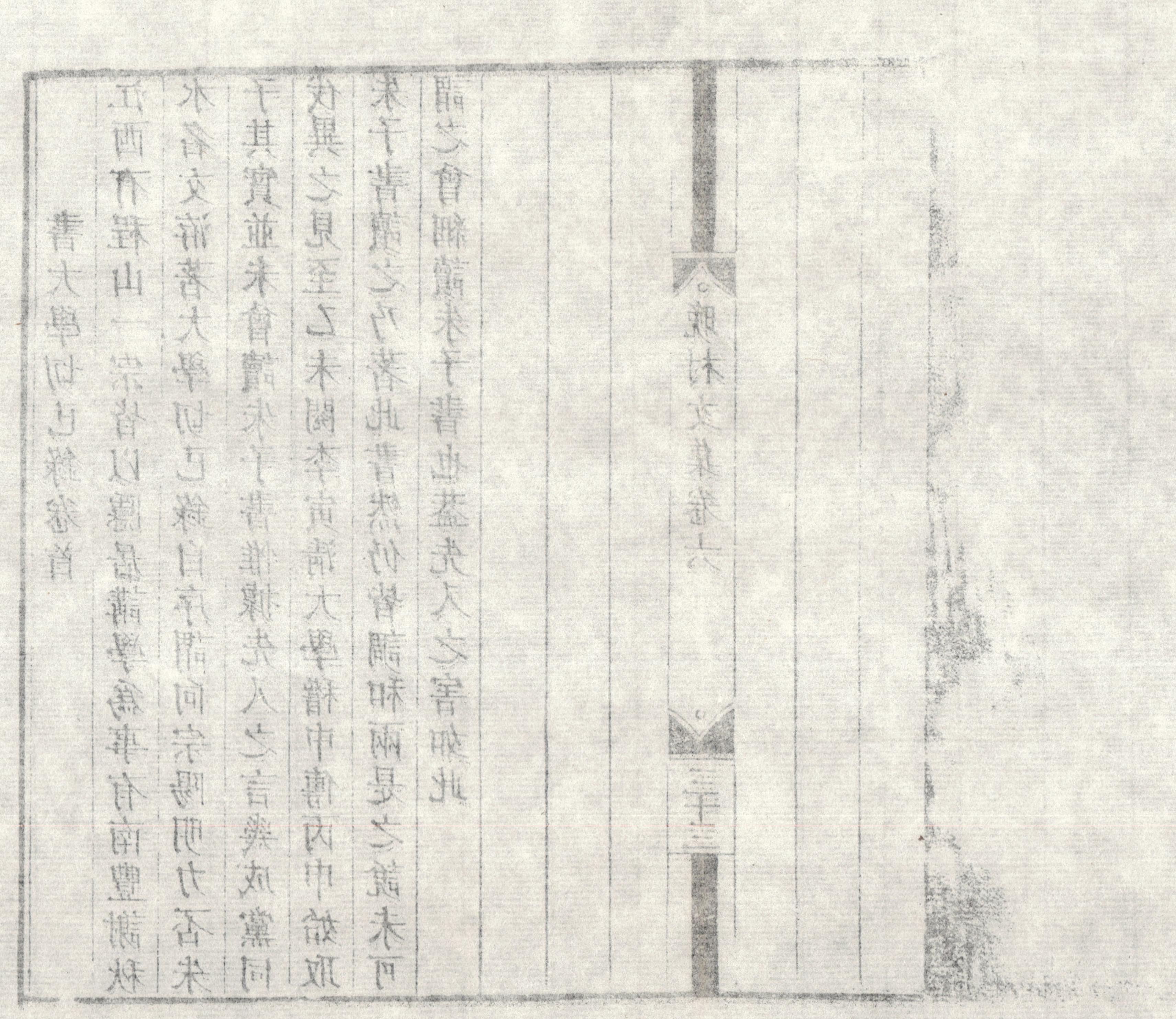

識碧山學士傳稿後

右先外大父學士葵陽先生文稿年遠散軼据陳百史五十大家本僅三十餘首後四世孫相如從友人處得十許首又從桐鄉錢蒼城得其婦翁姚北若所藏本十許首最後四世孫錡出舊刻官稿訂定數首共五十八首而諸改墨爲程者不與焉按先生文凡三變初爲渾灝踔厲驚世之文嘉靖辛酉甲子間風氣冗弱茅葦彌望先生與同里趙玉虹獨勉爲古學救之以精練典則會隆慶改元釐正文體遂以第一人舉于鄉辛未後文體復振皆先生力也庚寅歸里

與門生子弟論學不少倦而文益簡淡高遠今集中所載多後兩變作也海內過其門者無不成名士如會稽陶望齡晉陽王濬初華亭董其昌同郡朱國祚陳懿典馮夢禎諸所陶鑄甚衆先生初入翰林爲館課輒傾其曹同館雖前輩無敢雁行而先生又嚴峻好直言遂爲時貴所忌萬曆戊子主順天試取王錫爵子衡爲榜首第十名李鴻又申時行之壻也言者遂以攻先生下廷臣覆試至再諸生文皆如格事乃白然先生遂自劾求斥慰留再四疏十上竟告疾歸先是丁丑會試張居正欲以子嗣修相屬先生堅避

不入簾爲江陵所頷以故久不遷夫不肯趨附熏灼之江陵而私調停畏葸之太倉長洲固有以知其不然也然先生終拂衣不起絶無顧戀營冀之情其名節自重如此竊論先生之文上裁嘉靖以前之迂蕪下截萬曆以下之俚怪酌乎古不入乎時三百年文運之正中極盛也編脩時疏正文體謂必先端士風士風倒瀾欲正無繇因陳六事曰去浮靡止奔競明是非禁佞諛禁黨錮禁清談啓禎間事無不灼見嗚呼誠得行其言豈止文字無末流之禍哉外孫呂某謹識

跋八哀詩曆後

汪孝廉魏美　陳晋州士業　申山人自然

錢宗伯牧齋　王先生子文　劉先生伯繩

黄孝廉季真　仁菴義禪師

黎州八哀詩余同哭者只牧齋魏美耳然伯繩余所願見甲辰將渡江而不果識其子子本於杭前年黄木正寄詩於余得聞其父孝廉之風子文則立谿烏石數爲余寄問焉山人之死友又余之舊也是皆宜哭不嘗以識不識異今年求宋元集於晋州晋州雖亡不可等之路人惟於仁菴無淚焉嗟乎■年■月幽草無銘甲拜乙號荒臺有記耿寒燈於霜木許故劍於南枝其聲光氣力能使後世惻愴如見而况於余乎南陽某謹跋

書西樵兄遺命後

此先兄十一年前書留篋中者也甲寅八月十六日午兄病革命簡以付某及平生事略數紙曰為我善成之問家事曰不必言嗚呼此非明於義利邪正之辨豈易及此以視世之名為士大夫而惑於禍福死生佞佛乞靈甘於叛聖而不顧者其智愚賢不肖相去何如也諸子孫豈惟恪遵更當推明此意於爾身爾家一言一動必懷義而去利守正以闢邪庶不忝爾所生哉甲寅八月廿八日弟某拭淚謹書

呂晚村先生文集卷六終

呂晚村先生文集卷七

墓誌銘　祭文

隆德令贈奉直大夫靜寧州刺史費公墓誌銘

仕宦之獨尊進士也不知始於何年至于國雖亡而進士之權有餘烈其師生同榜世次蔓延遍天下蟠結深固故進之捷退之難其聲譽易起有詿誤亦經營易復雖至失職敗節猶能飾罪爲功顛倒朝廷之刑賞而自舉貢以下則反是雖有高行偉烈曾不敢與爲比例焉故艾千子謂舉人官至府同知便爲入

閣憒進士之黨也而其中則又有門戶之黨雖以進士之尊也亦必繇乎此凡入於黨者亦進捷而退難聲譽易起詿誤易復雖失職敗節可飾罪爲功而其力幷可顛倒宇宙之是非其不入於黨者則又反是焉乃其不入黨者則又有二黨有陰有陽有正有邪其翻覆傾軋勢必有消有長當消長之交大位者必有危禍於是黠者出焉曰吾于兩者皆不與混混默默善事上官分積寸絫潛致崇階實陰用陰邪之力而又不爲陰邪所累盖其術又狡矣進雖不捷退之甚難亦能完聲譽免詿誤飾罪爲功以顛倒是非刑

賞而其爲迂拙自守誠不知有所謂黨者則又反是焉嗚呼仕宦之難至于此士之欲自樹立而出不由進士仕不入門戶以迂拙守官死封疆而無聞焉如隆德令華陽費公者豈不又甚難者與按公名彥方字爾英華陽其號也世居邑之某某里祖某父某公爲仲子未弱冠補邑生萬曆癸卯舉于鄉年且三十矣又七躓公車以母老且病冀及祿養不得已遂謁選歸而丁母憂服闋授江西上高令公自以一榜起家思以治行自奮而不善爲逢迎結納之術居數年無異聲旋以漕事挂議謫江西按察司經歷時公有

門人秉銓政者或勸公通委曲可亟復且得美地公笑而不應崇禎五年冬乃起補陝西平涼之隆德秦地自延綏寇亂蹂躪無完土武臣莫肯用命失機則以賄免守土者率望風解竄營救于樞要天子亦以武備久弊罪不在小臣也而寬之多得不死於是行閒不戰郡縣不守賊益橫行無所阻是年春秦將曹文詔楊嘉謨等始屢戰而勝有西濠虎兕隴州諸捷賊黨可天飛獨行狠不沾泥混天猴紅軍友等相繼擒斬秦中得少休息公至治急招流亡繕城郭勸農設賑民賴以安然秦寇散在楚蜀者日復充斥乃以

延撫陳奇瑜總督五省檄諸軍追賊賊盡竄入漢興間方賊之在楚豫也廣衍四潰撲之實難今逼入蠻山窮坂之中自春及夏大雨連月弓脫馬斃進不得食退無所奔突環諸省之兵蹴之賊之滅可待也賊魁李自成因與安之車箱峽峽嶮不得出行賂乞降奇瑜狃于楚捷輕賊不足平且冀大功之速成也許而縱之賊出棧道卽與畧陽羣盜合掠破州縣勢不可制而秦患復猖矣賊分爲二支一入長平犯涇陽一趨鄜剽盩厔衝突飄忽臨鞏平凉在所不支公聞報急募兵未集而防守把總王珍先遁賊破靜寧州

閏八月二十九日以城無兵衞遂陷賊執公求金掠其署大失望其首號信王者詫曰窮如是其好官邪縛不殺先是公遣僕丸書求救于固原道陸夢龍陸報公堅守且日親率兵至劄爲賊所得卽分賊騎設覆于六盤山陸至陷伏中軍衞爲二力戰而死身被創矢無完膚陸蓋公同年友也賊返城遂害公公挺立受刃腰頸皆穿穴以死固原失事聞天子愍悼命査卹死事者秦撫練國事疏報含糊謂公被傷不知所及再命覆核乃得公死狀聞者憫之卒以中無黨助且王珍懼罪賄中樞求脫反譖公城守謀疎故僅

贈公奉直大夫靜寧州刺史而逃將獨得不誅悲夫公於上高善自謀不必降爲慕爲慕而善爲謀也亦不與隆德之難雖及難矣當時有通賊者棄城遁者賄賊以免者其法甚多皆可不必死也而公竟歷坎壈至於此此則所謂公之迂公之拙也然使公成進士爲黨人得此一死以張大之朝野相引爲重其迂且拙又爭傳爲奇節矣然則公之不幸在不成進士爲黨人耳非迂拙之累公公之累迂拙也公死後十年而京師失守士大夫相率迎拜旋轉取富貴黨論互爲塗飾開門者樞臣也而曰舉義投名受職賊敗

乃死也而曰殉節勸進賊廷歸伏誅也而曰黨誣天下旣亡刑賞固無從問而宇宙之是非亦任其顛倒如是而莫之正以彼視公公眞可以不必死者耳然而公寧以死守其職又不得厚卹朝論泯然淸議亦莫爲辨死後數十年事往世移益少稱述之者棺在草間子孫貧不能葬號于里左至此而後公之迂拙乃盡則世以迂拙爲仕宦之戒焉亦其宜也吾友吳孟舉之振聞而悲之曰公故吾舅也公孫婦又吾姊姊蚤沒吾幼無聞焉其忍終暴公而使之湮滅乎乃具輴埴治灰石名圬者襄其子孫後公死四十九年

而得葬于其居之偏而以叙銘屬余公子某婦又余表女兄也義不得以不文辭公配施氏有賢識能相公生幾子某某皆祔葬左右孫某某亦以其生壙次焉銘曰

宜然乎不必然世所謂權不盡然而然吁公之賢死固人之所難豈輕責乎名臣而重與小官久而不剢封兹柳棺

孫子度墓誌銘

崇禎十一年戊寅余兄季臣會南浙十餘郡爲澄社雜沓千餘人中重志節能文章好古負奇者僅得數人焉孫君子度其一也越三年子度擇同邑十餘人爲徵書社時余年十三子度見其文輒大驚曰非吾畏友乎社中曰稚子耳子度曰此豈以年論耶竟拉與同席時璫亂既夷正類旋振而外■內訌國勢頽壞門戶之鬬復興靡然敝天下之精神於聲氣而世益無人余從子宣忠從子度游舘荒園水閣余時往就之論列古今及當世擘畫慷慨明了皆可旦夕施行者案旁日本佩刀長二尺自爲銘曰吾與汝俱廢置而不試天下洶洶太平其可致乎又與從子作金人承露盤倡和詠後漢君臣七人詞旨悲激聞者壯之而不能測其謂又數年國破丁亥從子殉難虎林固至性素然然師友之感厲多也當從子被收適在君墨兵齋中獰卒拚縛去錮吳山閣月及訊從子謾罵君乃爲之爭其善致受杖然亦以此直之放歸纓絕醢覆琴碎海枯自是埽迹城市往來苕霅間成悽孤幽渺之致視昔之豪壯一變如是者六年竟以鬱瘵死嗚呼其不可及也子度長身玉立廣顙脩髯兩

顴插起如華嶽劍脊濃矗紫騂爥然望者以爲神仙平居塞默似不長於言者及議大事對鉅公析疑送難衆噤不敢發則侃侃瀾涌洞中樞要吐音清迴若鸞鵠之伏百鳥也父遘奇疾廢者十餘年奉藥必親如一日遇亂欲有爲而終不以身許人者以父故也撫誨諸弟皆有成業與物坦然無迕而崖岸嶄嶄不可犯以私家無完壁老穉恒飢淡然相守知交濟之亦受然未嘗有望援乞潤之意故貴厚者不得而近亦無可以驕之年二十三以高等補杭郡廩生名噪遠近與四明萬泰陸符錢塘卓回沈佐餘姚黃宗羲

宗炎嘉善魏學濂互相期負而遽罹國變卽奮然厲氷雪之守有勸之出者怒不答作貞女傳以自託焉爲文清挺屼嵂不傍籬樊虞山錢牧齋稱有老泉父子與近世歸大僕風而其奈何不能自已者一寄之於詩爲風酸雨駭山哀海息荒怪回惑變亂不可揣測之音然皆帖然蟠結于醞藉跌宕之中故讀者但覺其高秀閒遠嘗云詩窮乃工今日之窮又不然羲皇以來僅再見耳當唐宋人未有之窮必有唐宋人未有之詩其意甚長而所見卓遠不爲唐宋詩人所縛如此自欲老其年以盡發之不計其止于此也喜

作字能合魯公率更海岳爲一家間破墨作圖畫老工歎爲不能及憶余初得交子度竊意東南如許所見不數人必吾足目不廣及變亂即所謂數人者或碌碌死或改節死或老而衰求如子度之皭然又不易得也然自子度死二十三年余足目亦數更矣幷所謂數人者未之多覯焉更可怪也昔與子度游者皆重自標置有老友干賄子度庭訶之即改戢又有邑吏某賣藥某慕其風皆好賢樂施以自親自子度死習俗益汚下向之同社面目變換至不可識驕者以奴隸辱故人諂者多潦倒自貶白頭拜門走于時

貴後起恣惑聲利不復知名義爲何物狂敗無恥恬不相詫使子度及見之其憤疾當復何如固不如不見之爲愈耶然子度而在意其人有所畏都不至此亦未可知也以是歎賢者之存亡其繫人士風俗之重也如此若子度者烏可復得哉夫子度一人耳其名位甚不足動人然則士誠賢正不在多也而余之婾惰無狀其生也不足爲重輕以負吾死友之知抑又可哀已矣子度名奭別號容菴先爲浙東人八世祖遷居語兒之檀樹村今家焉曾祖仁壽以貴雄祖良佐號景亭勇略異人與遠將劉大刀綎爲俠友而

讀書有奇識終隱不出考有慶習儒行曾祖妣蔡祖妣郭妣徐配張氏子二長慎娶執友徐廷獻女次懷娶費氏女二長適呂尚忠次適胡洪叙孫一元履孫女三俱慎出生萬曆甲寅四月十五日得年三十有九之五月二十有八日卒又二十三年十二月庚申其孤慎卜塟於其祖墓之左而問銘於余余不得而辭者以子度之知也銘曰

此窪然凸然何足以藏君惟生同乎氷沙窮海之梟羣死何所不可爲君墳黃泉律回絪復緼後有昌者行所云

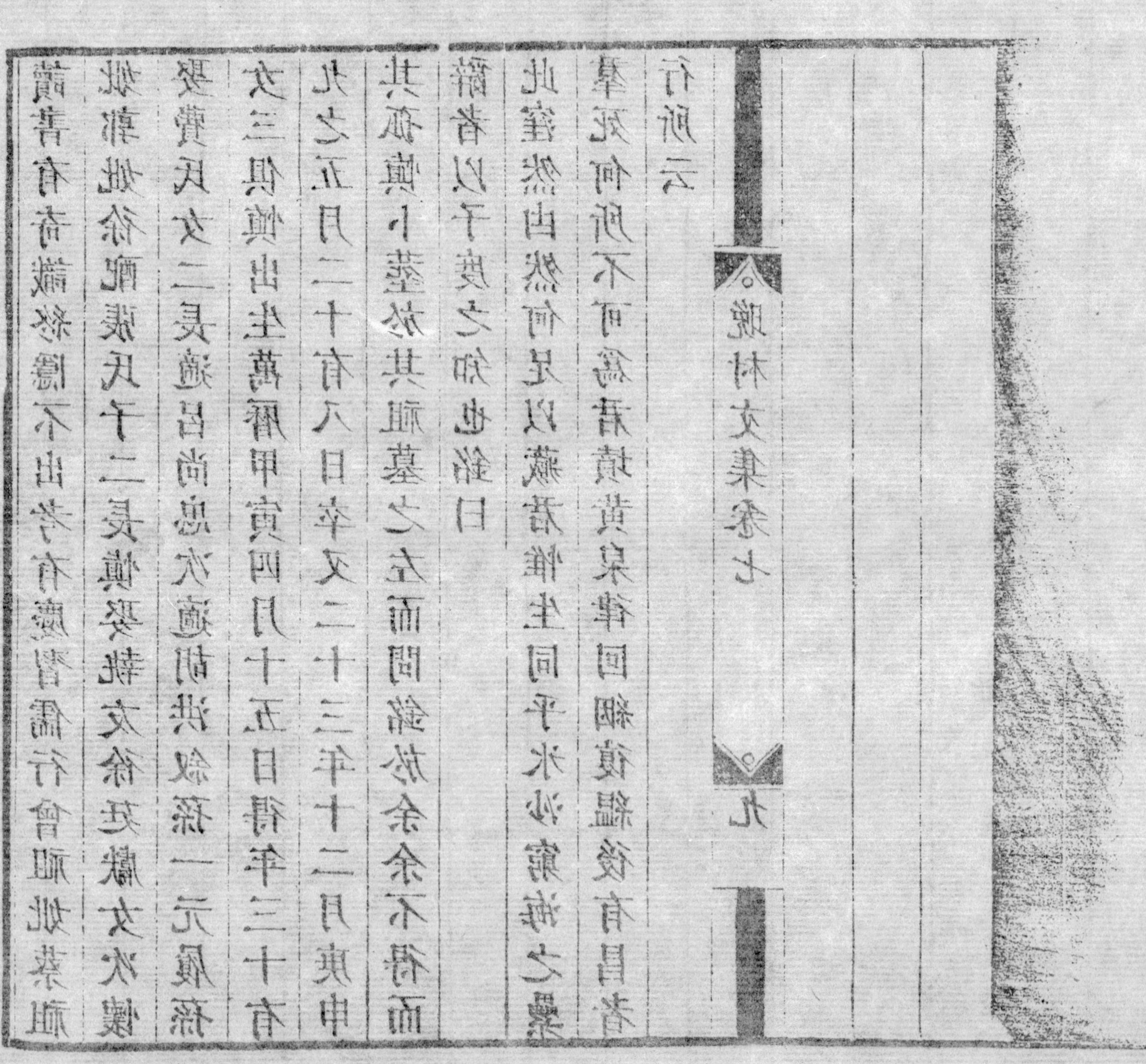

從子進忠墓誌銘

君名進忠字集思行二邑宣化里人曾祖熯淮國儀賓尚南城郡主祖元學繁昌令祖妣孺人郭氏父茂良夏官郎妣宜人包氏生母聶氏君生崇禎甲戌二月十日爲人沈毅篤摯善飲喜讀書每以一尊一卷默坐竟夜忘寐居家循禮法不爲外習所移而志與境左坎壈鬱幽丁酉十月十九日嘔血以卒僅年二十有四配王氏生子二長懿行娶梁氏次懿謀娶許氏女一名文未字孫女一尚幼乙卯正月庚申祔葬父兆之右銘曰

而貌之瑟然而氣之赫然而情誼之蔚然而胡年壽之歘然是殆不知其然而不得不然其長發乎茲丘之鬱然

從子履忠壙誌

余仲音兄之第三子名履忠字垣人崇禎己卯某月某日生余伯兄伯魯名大良娶檇李朱氏爲太僕大敬公女淑麗多才而有盛德伯兄不慧斷人道終身不令人知卒無子仲兄因以履忠後之娶同邑石墩楊氏年二十爲邑庠生敏于記誦而短于搆攄性嗜豪飲雖盎無儲粟必典衣擁壺相對終日以爲歡仲兄時當變難後析產既薄而履忠夫婦復不善治生家漸落仲兄憎其縱情不甚顧惜且聞其妻黨有觖望誶語愈益惡之貧日甚至寒無絮襦某年某月某日楊氏先病死履忠鬱鬱越某月某日嘔血亦卒年僅二十有七傷哉大凡處姻戚骨肉間雖甚愛情激猶宜顧大義善爲說夫使人失父子歡至窶死不得意是欲厚所私而適戕之也可不慎歟生二子長懿典娶孫氏次懿範聘徐氏二子以辛酉季冬壬寅卜葬祖墓之東阡因爲記其略父名茂良爲部郎祖諱某繁昌令余本生父也曾祖諱某尚南城郡主爲淮府儀賓叔某書

從子愍忠壙誌

愍忠字及武仲兄第四子也曾祖諱某淮府儀賓尚南城郡主祖諱某繁昌令父茂良樞部郎即余仲兄兄於國難後又遭尾大之變令愍忠同其兄履忠從余學爲文頗善領會第性多雜慧而不勤正業又喜諛已余稍抑之輒厭去旋爲邑庠武生遂疎遠文字然於算數音韵六書之術嗜之不衰時有所撰解多出人意余欲絡引之學冀幡然有所成而屢爲燕僻所沮曰安用是畢畢者亡何患血疾卒悲夫距生崇禎癸未某月某日得年二十有六娶湖州潘宗玉國

瓚女中丞晧度某之孫也生二子長懿秉娶俞氏次懿臻以辛酉十二月壬寅同履忠壟于父墓之浜東越東百步許則繁昌祖墓在焉叔某書

從子婦孫氏墓誌銘

余仲兄性豪宕於儒釋不甚辨卒之日忽以文字一幅授余令勿作佛事余受命終喪未嘗用浮屠法凡俗禮之出于彼說者悉罷之家人以遺命故不敢有他然意未協也兄之第五子名奇忠頗能文矣而病痼妻孫氏余友子度爽之姪子雒誦之女也工容皆殊衆年十幾歸奇忠奇忠病漸狂不可堪婦視之惟謹遂勞鬱成瘵某年某月某日先奇忠卒卒前旬日與其父訣父痛之謂女少夭夫子既病廢女又無所生室中物固路遺耳盍多作佛事以資他生福婦頷

之家人皆以爲宜次日强敉起坐請余往訣曰婦且死吾父憐之甚令作佛事此不可也大人昔有成命尚未信于後人豈得以婦故亂家法使大人之命繇婦廢乎昨不欲拂父意耳恐婦死家人且以爲詞敢請翁主其事証婦言以謝婦父余歎曰爾賢如是然得無疑怨乎曰婦於此不疑也又何怨所怨者命不永負諸大人耳余不覺泫然爲起曰爾誠賢誠苦命不永雖然爾勿怨也人生修短榮悴以古今視之直瞤睫間耳雖修且榮竟同盡何足慕者今爾明于理合于道義能成余兄志使後世子子孫孫援孫氏毋

訓爲法即此數言旣永不死矣且爾不覩諸庸下婦人乎第知自私利惑溺邪說悖舅姑之教輕棄夫子當其生時人理滅久矣雖倖長年享豐盛卒爲宗黨唾笑鄉隣不知愛歎以今思之此與犬豕何異哉然則爾固未嘗短且悴而彼亦未嘗修未嘗榮也又何怨之有余且誌爾墓記斯語以不忘婦奭然起謝越數日乃卒又幾辛酉季冬某日祔塟于先兄之墓左嗚呼惜哉義當與銘銘曰

紛彼男子難與論嗟爾刻婦何所聞善成正訓貽子孫命不可續賢永存視我此碣信不湮

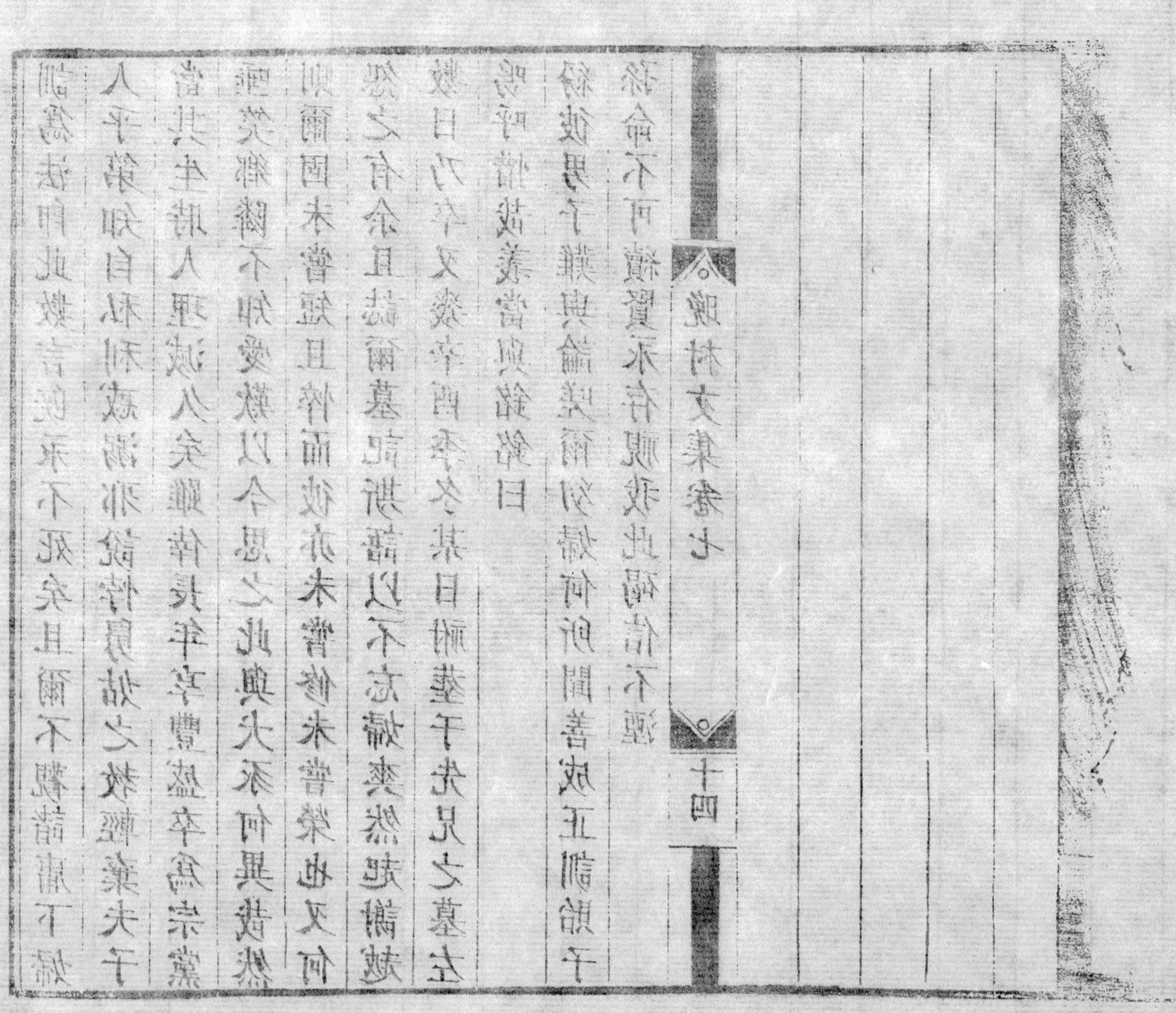

從孫琦墓誌銘

君名琦字荆山原名懿脩以應試更今名初讀書塾師卑鄙不契舉子業因學將畧鈐策則嗜不倦年十五即善騎射雖關外徤兒歎爲不多也爲人細小精果結束支架無不驍駿年十七補邑庠武生丙午秋馳較萬人圜場衆呼如雷知與不知爭識之榜發爲有力效去省下爲之騰憤至己酉乃舉于鄉尤善控悍馬嘗騎入市忽奔逸人仆君攬繮逸過力稍猛顛旋從尻尾躍而登時馬騁飈迅見者以爲神然自是傷其脅愈不覺而患成矣明年乃病瘍醫又決其要

創口竟不合逾三載以卒葢甲寅正月六日也距生庚寅年十二月七日得年二十有五其仁孝性成即抱病累歲執人子禮益謹父偶值微疾必强起侍奉父諭曰汝憊甚勿爾也君不爲勞倦及病革忽命製寛博儒服服之問家人曰何如曰甚都顧其婦曰歛我如是矣乃知囊所處殆非其好也蚤從力學明大義其爲詎止此且死之忽也惜哉娶陸氏曾祖元肇太學生祖調良父岳洛俱邑諸生母陸氏以甲寅十月丙辰祔塋官村祖墓之側銘曰

才耶命耶教耶性耶奮發者其志而杌者其病耶夫

哭吳自牧契兄親家文

茫茫九區我知者誰曰君一人而又如斯與君相知壬辰之歲笑視莫逆不解所謂自此迄今二十六年其交益新若未觀然始而藝術繼而文章久之攜手雒閩之堂我行不掩君不我非言之不擇亦不我疑所以然者非繇私好信其平生必更有道云每見過無論請益游戲笑言亦必有得嗚呼至此豈誠然乎君之好善舉世所無波及我者皆君之有取之不足反忘我醜憶辛亥秋大麻舟中米鹽絮語驟驚不同問胡從得勿恡我告君曰無他郎子之教十五年前

受近思錄如嚙木札心口不屬比來讀之分外有味時翫一條不能舍棄歎君篤學益畏益親七年之間富有日新嗟彼義襲徒事表襮真醇內積肅雝敦莊流俗視君猶夫人耳察及幾微昔賢有幾器重道遠方期共肩何圖中路履隻輪單斯文將喪逆天者亡何有於君而得久長顧我逆天死反得後知我不材君賢加又嗚呼已矣吾厭吾生廣廣衡術凉凉獨行有疑焉析有知焉質舉頭觸棖口張掛壁知交戀我大槩因醫救君不能學醫奚爲哀哉自牧賢門之表豈惟賢門東南絕少我子君女失賴如何此猶私痛

焉知全歸于是者非幸耶

吾知全歸于是者非幸耶

悼道實多川竭復流哲萎難再我悲孰知英靈長在

惟道資多川竭復流哲萎難再祇悲孰知英靈長在

祭錢子與文

自黨禍之爲烈于天下也固知其中之無人惟闖棺而議定孰有如君之超然自拔于緇鄰吾邑聲氣之盛實開于崇禎之丑寅與江上之應婁東之復雲間之幾連軫接武爲東林之後塵皆君與二三老友爬羅鈎結千里荷擔而脫巾渡錢塘探禹穴自江以東無不從君而得與於盤敦豈草野以虛聲相標榜而中朝河北遂挾神州以胥淪萏風流消散泣藏翼與隱鱗然君與門戶相終始而不爲其所埋湮方其盛也不得一第置身于青雲與之樹私値援飽氣燄之炙熏及其衰落又不能借夙昔名字之知如今日之遺民爲要路謁客以呈身或捉刀懷槧爲幕府之師賓最下則含乳乎南宗開堂賣拂此其家亦可以不貧奈何三尺之籬數十竿之竹蔽影于九曲之村於是知君之志趣益逈絶于儕倫頗憶疇昔之周旋其與爲性命者左拍夬振公子謣而右抱子度季臣旣數子之云亡蘭摧蕙歎固一落而不能自振雖倏諸嬉駡詭時玩世人皆以爲老狂而不知淚假笑揮而血從醉吞也形不悴而神傷又何能久於人世之紛綸嗚呼哀哉過君小齋櫥舊書存請君令子孝友博

嗚呼哀哉過君小齋觀書府言君令子孝友博
洽從醉客也不悴而神傷又何能及於人世之紛
擾焉謔將玩世人皆以為若狂而不知淚假笑揶揄而
數千之言亡論權叢藪固一落而不能自振雖修譜
與為性命者左相夫振公于詩而右抱于度李臣錢
是知君之志極益迫絕于儕倫瞋憶疇昔之周旋共
資茶何三尺之籬數十年之竹藪邈于九曲之村於
寶裁下則含乳乎南宗開堂讀佛此其家亦可以不
遺民為要路謁客以呈身或提刀懷刺為幕府之師
炙熏及其衰落又不能借夙昔名字之知如今日之

也不得一第羈身于青雲與之樹私植援縱氣竊之
陰隣然君與門戶相務始而不為其所埋運方其盛
中朝河北遂挾神州以齊倫益厲流浙散泣藏翼與
無不從君而得與於鑿鼓壹草野以虛聲相標榜而
羅鈞結于里巷譜而脫巾瓊錢塘探禹穴自江以東
之幾運軫接武為東林之後塵皆君與二三老友為
盛實開于崇禎之丑寅與江上之應婁東之復雲間
而議定號有如君之趙然自拔于緇禁吾邑聲氣之
自黨禍之為烈于天下也固知其中之無人惟闡稍

祭錢子興文

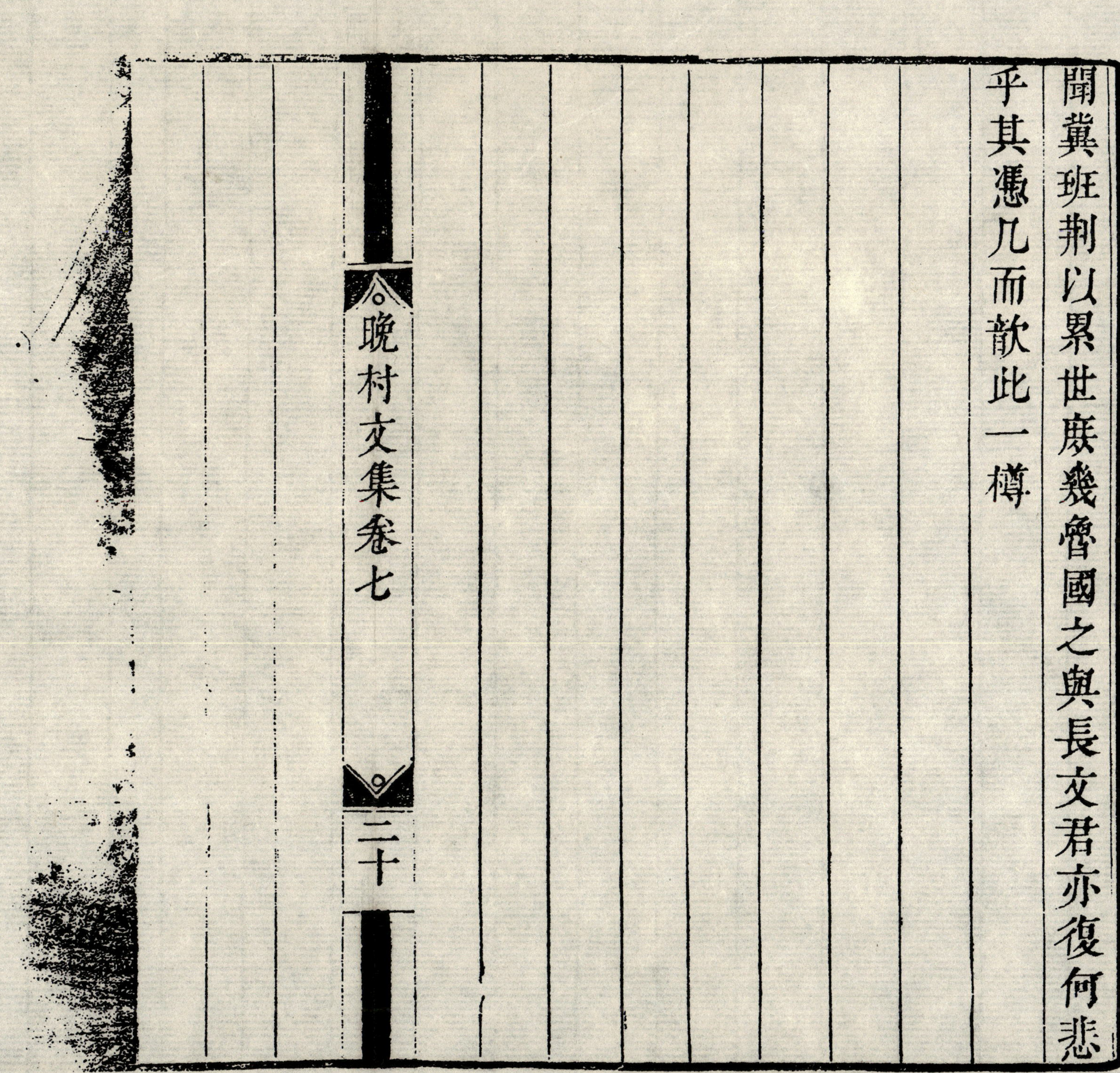
聞冀班荆以累世廡幾魯國之與長文君亦復何悲
乎其憑几而歆此一樽

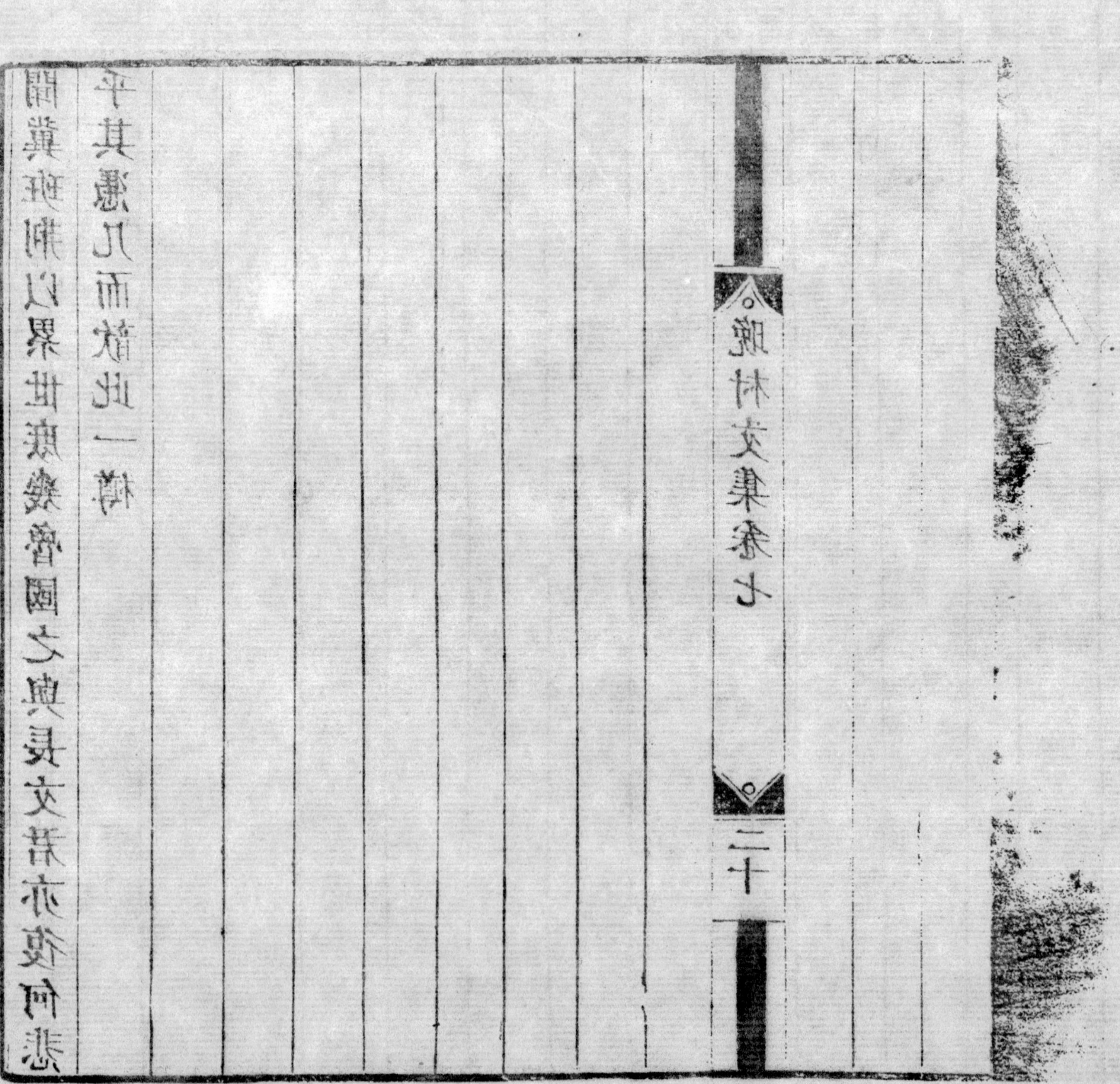

聞冀班荊以累世庶幾魯國之與長文若亦復何悲
乎其遇几而歎此一樽

祭董雨舟文

百年纔半舊友無幾老健如公奈何遽爾去冬語余溺血如縷雖無所苦中裹時滓余聞暗驚知非佳事然與公談矍鑠可喜謂當偶然不無推擬豈期公命竟殞于此憶年十七追逐亂始余毀厥家公妙頰齒經營岩澤連絡首尾麈扇所及如潮赴海海凍龍沉蛇返鄉里風波肆盪扞蔽縫彌閔余多難門戶傾圮於骨肉間委曲善處艇子一葉前山漾裏狂濤屋高舟獻其底公自持橈力盡得纔余坐浸中度曲不已公恚問余此豈歌所余遽應公不歌亦死相與大笑濕衣就邸公告暫還某日復詣是時對簿及期廹蔟衆譁必爽雜進讒詆余兄疑沮遑遽無主余决無他請立表畧正爭訟間雨舟至矣二人同心大約如是公每舉之以戒諸子諸子從游名業日起公愛埭溪團瓢陽塢余買妙山亦築風雨二老風流短衣芒履兩家子弟教之一體提攜壺榼咏詩習禮可樵可農不失初旨此有何奇而天不許哀哉雨舟世豈復有言無不合事無不理雄才明略吾今誰語憑筵一哭心傷無緒嗚呼尚饗

雜著

賑饑十二善

賑饑之法莫善于散米而莫不善于施粥莫善于各里散米而莫不善於城市籠統散米各里散米之善何如施粥止可及近里之人十里以外多不能及即數里以內人其藏府筋骨已爲饑餒所敗欲其晨赴夕歸力既不堪況竟日止此一粥而奔馳往返數日之內即使不闕施粥亦必轉塡溝壑至于罷癃老稚之斷不能出而餐粥者又不必言矣散米則皆安居

而受賑其善一煮粥必多人料理徒飽此曹私其情親養其傭僕有破冒之弊有偷竊之弊有添水之弊有宿餿之弊又薪米器具之費有此二項計米一石饑民所食不過二三斗耳若省此賑米足供三倍其善二城市遊閒無賴皆得積飽鄉愚瀕死之民安能與爭强者或數處重餐弱者或後時空返不公不均無從核理散米則案籍分給即無重餐亦無空返其善三一家有幾口吃粥必須齊出此只消卑幼一名持票赴領全家皆得安業且近見喫粥婦女出頭露面有志者羞泣可憐愚稚者習成無恥甚至執役之

没後舉汝祔于吾冢之側與汝相依以誌吾痛也

呂晚村先生文集卷七終

在海昌遣人來迎黃晦木將同往蘇州吾因致書曰彗兒病且危弟欲暫入省駕從此至吳便道也不靳一跋涉活此細命晦木亦待于此矣吾謂必足以致吾友遂放心至杭否則吾雖忍甚豈能捨汝而去乎杭州數日不見家報計已調理平復矣因更淹數日寓目市貨有戲具字舘人笑問吾答以五兒病新愈買以娛之也孰意廿七之酉而有阿墀之信乎吾問阿墀然後知次日海昌竟不至但遣童迎晦木耳童謾云廿三日且至遲則廿六也不謂汝病劇于廿三日身熱洞寫家人妄冀吳門之約又望吾之歸因循

五晝夜變症蠭起始遣墀報吾冐暑奔歸已無及矣此是吾方術之疎而期人之過急外務而不飭家人以速闇使汝失治以死也吾殺汝又將誰尤汝生于乙巳九月至今纔十月耳吾名汝爲彗汝母曰何用此不祥者吾曰乃其所以爲祥也今其果不祥耶汝瞳子能自會于兩眥吾又戲名曰烏鬬此二小名吾每呼汝汝目諾而口應者將於晬日命汝正名曰定忠此汝所未知也今以語汝汝其能應否耶痛哉阿彗遺衣委床啼音在耳汝母乳姆哭聲一發封心鉥骨吾又何堪行且權厝汝于識村囑汝兄輩異日吾

哭阿𡥉文

痛哉阿𡥉今日汝死三朝矣阿爺阿娘哥哥皆痛汝不忍舍二伯伯四伯母賜楮幣哀汝父執吳五叔叔嬸嬸亦遣人弔汝今吾令汝乳姆攜菓餌蔬飯祭汝汝不能飲令其握出乳汁以飲汝痛哉阿𡥉汝生面方廣頟豐下耳長垂珠隆準脩眉髮頂黛綠膚如凍肪瞳如髹漆母抱汝前十步之外目光及我啼聲震隣頂頸肩背屹如山立兩手常對握端拱不自掉弄其骨度莊凝如此無一死法生未十日即能笑數月以來洞解人意呼之相親即捧面哺口吾有不釋母

令為花鼻即能蹙山根作皺紋口輔出靨以悅我其聰明而孝如此亦無死法也阿𡥉阿𡥉汝何以死汝初病痘不八日而靨不十日而痂落梅片疤白無苦痕吾即驚憂謂必有變已而餘氣怒生幸部位不犯要害進參芪托裏之藥瘍雖未愈而肌肉神氣未嘗減損謂可不至死也汝苦藥每服必強灌見持茶盞至即戟手搖頭牙噤喉拒揑閉汝鼻纔進少許宛轉呼號其難如此以故汝母乳姆姑息煦嫗見汝少安便勸輟藥後之間斷致危遲遲報信皆坐此也六月十八日吾以事須往杭州念汝病不可離時高旦中

十八日吾以事須往杭州念汝病不可離時高旦中
便勸輟藥後之間斷致危遽報信皆坐此也六月
呼號其難如此以致汝母乳姆姑息溺愛見汝少安
至卽斂手指頭牙禦喉拒揸閉汝鼻纔進少許宛轉
減指謂可不至死也汝昔藥每服必強灌見持茶盞
要害進參芪托裏之藥湯雖未愈而肌肉神氣未嘗
損吾卽驚憂謂必有變已而餘氣漸生幸部位不犯
初病痘不八日而靨不十日而痂落梅片疤白無苦
聰明而孝知此亦無死法也阿彗阿彗汝何以死汝
今爲花鼻卽能徵山根作皺紋口輔出頰以悅我其

以來洞解人意呼之相視卽捧面向哺口吾有不釋母
其骨度莊凝如此無一死法生未十日卽能笑數月
隆頂頸肩背皆如山立兩手常對握拱不自掉弄
時矔如戀戀母抱汝前十步之外目光及我啼聲震
方廣額豐下耳長垂珠隆準脩眉髮頂黛綠膚如凍
汝不能欲令其旋出乳汁以飲汝痛哉阿彗汝生而
孺孺亦遣人弔汝今吾令汝乳姆攜囊餌謊飯祭汝
不忍含二伯伯四伯母賜楮帑哀汝父執吳五叔叔
痛哉阿彗今日汝死三朝矣阿爺阿娘哥哥皆痛汝
哭阿彗文

喪心綽趣亡命之調笑擠挨言之足令髮竪散米則皆得全其禮節又可不廢女紅其善四然此猶小者也救目前之性命當救將來之性命救將來貧民之性命即救將來凡民之性命葢目前之性命在口食而將來之性命在農桑若施粥之法無論如從前諸弊民不沾恩即使奉行盡善飢民人人受惠日日飽餐于城市之中朝出暮還如此不消一月田地誰爲耕鉏禾苗誰爲種穫目前飢民終作餓殍即目前不飢之民亦同歸于盡矣惟各里散米則僅費須刻之支領仍不曠逐日之工程農安于畎畝婦安于機紝無曠土無流民有無相濟則情厚死徙不出則俗淳其善五況飢民宜散而不宜聚宜靜而不宜動日喧闐于闤闠更有隱憂何如帖然于村落間乎其善六城市散米似乎米多倍濟然鄉民走領數合之米往還過午飢腸難支必不能持歸炊煮不過于城市即換餅餌或舁飯肆些須之米所買幾何不足一飽則反不如施粥矣各里散給則無是患其善七籠統賑施人戶難稽應領而不得領不應領而多領弊端叢生惟各里造冊自賑則鄰里熟悉真僞難欺必無不均不公之病其善八城市賑施必每日領給此則或

五日一給十日一給半月一給廿日一給一月一給俱可遲速之期視米之多寡難易爲準但以五日十日爲佳蓋五日以下則太頻而勞十日以外則總給米多饑民恐有不知撙節者前去後空反致飢餒不可不爲之節制也其善九所賑之米雖止數合然十日五日總給不奪其工其人仍可做生活以佐益之則全家鼓腹矣其善十或疑此但救土著而不救流亡不知流亡之在地方深足爲害其中狡黠頗或煽爲不良久成癰痏往往坐此況被災之處財力艱難飽一流亡必餒一土著夫此之流亡卽彼之土著也但使各州縣各都啚舉行此法各賑其土著安得復有流亡卽有流亡聞故鄉有米可賑誰樂爲流離異域之人乎其必歸而就賑矣是不救流亡正所以救流亡也近見東三縣不被災之處流民羣聚當事紳士捐米賑濟自是仁人用心然飢民傳聞皆相率奔赴流亡益多初意賑之遣還其如所賑有限旣不足爲路糧而後至者衆則又轉生覬望不思歸亦不能歸究竟不保其生轉死他鄉者多矣不災之處徒費財粟無益于流民被災之處土田益荒將來之憂更大是流亡之因救而愈甚不可以不察也不若此法

通行直救流亡之根源如隣封豐熟仁人君子肯博其施則竟彙集錢穀持赴被災之地分助其地之不能賑者此尤活人之實德也其善十一此法既行人不出鄉又可佐以興作之事各里之中巨室長者或疏鑿或絫造皆可以活人其里中公役則高鄉宜濬河浜低鄉宜築圩岸有產之家計畝稍出升合旣以活人又可爲已業無窮之利若當事推擴此義爲力尤大即如吾邑官塘大河自松老橋至石門高橋四十里間河道淤淺故潦則易盈旱則易涸若乘荒時挑深眞可爲語溪萬世之澤也其法每工食米一升

更給一升爲工值使足以養其全家則存活者衆矣其善十二

棣華閣齋規

程子曰洒埽應對進退造之便至聖人今日爲學正當以此爲第一事能文其次也其共勉之

晨起必盥靣水未至先人位習業盥櫛衣冠畢進揖同學相揖即就位從容莊肅展書開讀聲必明朗毋含糊低懈記遍數不許偷少背書不許差譌字句重覆上句凡一課初完稍覺昏■静坐一息或命散立一息但不得借爲游戲地■飯講書必衣冠講時静聽默思有疑義則從容起問若問及必莊對毋口中囁嚅欲吐不吐亦不得率爾致語全不思索

且有懵然不覺心馳于外昏氣倦容呵欠瞌睡此下愚質也當予杖以醒之講畢揖退就位再看書静思一息乃執他業傍暮課畢庭下散步言必循理思而後發不許戲謔或以尖酸隱語或以筆墨譏笑此最是下流輕薄兒所爲勿學也夜飲羣聚必和必敬飲食必自顧容儀燈下習業即先完者亦且静坐沉思反覆翫味最有益余未寢毋先卧也除讀書飲饌及午饍後小憇夜飲前後散步欵語餘時不許私相往來聚談嬉戲凡言語應對必嚮亮决絶然又不可突而聲厲拜揖須深首不可仰正立圓拱疾徐中度揖

須端立緩退毋輕■趨走莊重毋跳躍顛躓坐必正直毋跛倚有客至在堂者起揖在房者非呼不許出揖揖畢即入位課業非命坐不得與坐非命皦誦不得皦誦非問及不得參語書本須愛護不使污損及摺角凡學者最忌好高躐等如不命作文而私自拈題或至妄作詩古文詞釘木塗寫私看閒書私學它藝極爲學累終難長進必痛責而■之有事須出則詳告以故如期而歸倘所出非■必究其極而大懲焉凡午前課闕不許與午飯■課闕不許夜飲燈下課闕不許就寢

力行堂文約

昔之子弟患其馳騖為聲氣之習所壞今之子弟孤陋寡聞夜郎自大日趨于惡劣汙下而不自知其失均也今為此約但會文字不會酒食一以戒徵逐二以節浮費三以遠社席之風有觀摩之益無囂競浮動之虞亦興起大雅之一助乎

日期三八文限二作從俗從同也題必晝一乃有相觀之善每期大小題各二以分長幼近者凌晨傳發遠者先日封寄可也

師長無權則心志不精專長務外之弊故批點之任各歸其師不可侵越無師者歸其家長或其同學之友師長以為佳迺得見付入集如不甚足觀無妨置藏不出以待次期之長進慎勿欲速好名捉刀作偽以誤子弟也

文須當日搆寫批看次日午前彙付若過四九兩日雖有佳文不復入集以策驕惰

文既集總釘傳閱以前後次序為甲乙附着評語如有絕頂佳文仿月泉例贈以筆墨小物其三次無文入集者亦薄罰焉

每齋傳閱不得過三日以次傳遍歸還草堂遺失闕

損者罰之

文必用格紙謄淸其字句之疵師長卽爲抹改亦不必別錄以考其眞每朔日分一月格紙願則來取不敢拒亦不敢强也

不遵信朱子者勿與

對題抄套文字最爲無恥較出必罰

寫別字有罰

賣藝文

東莊有貧友四爲四明鷓鴣黄二晦樵李而山農黄復仲桐鄉殳山朱聲始明州鼓峰高旦中四友遠不相識而東莊皆識之東莊貧或不舉晨爨四友又貧過東莊獨鼓峰差與埒而有一母四兄弟一友六子一妾乃以生產枝梧其家而以醫食其一友友爲鷓鴣也鷓鴣貧十倍東莊而又有一母五子二新婦一妾居剡中化安山有屋三間深一丈潤纔二十許步床竈書籍家人屯伏其中烈日霜雪風雨流水遶攻其外絕火動及旬日室中至不能啼號鼓峰雖以醫

佐之不給也而又有金石玩好之性喜鑿印章紆構撫摹秦漢間作南唐圖書記或摹松雪朱文筆法高雅可愛至其精論六書則斯邈俗吏茫昧古法殆不可與語東莊謂賣此頗可得飽腹謀之鼓峰云鷓鴣技不止此若其可以玩世者則又善畫畫李思訓趙伯駒二家法精致微妙出是亦可得錢因憶吾黄麗農書亦兼南北宗尤妙董巨神理下筆秀潤生動直坐元四家于廡下麗農固自秘郡人亦無識者年來困益甚子女十數人有子之妾四麗農少壯故豪奢旦夕遂至不堪責逋者環坐戶外輒慟哭欲自引絕

賣適者多驚散去然稍閒文欣然弄筆都不復憶也吾友賣書此當與結伴而鷓鴣意又欲賣文與詩謂此事可吾輩共計耳然吾姊丈聲始淵源程朱所作文不減歐九爲雜著小品奇詭要裊渟蓄出入蒙莊史遷昌黎間而獨不喜作詩是亦有不能共計者顧其人別無藝能于經紀爲尤拙隨意至友人處坐講今古竟日不倦其家具食食之否亦論難泉湧了不知餓便至昏黑家有二幼子一弱女早喪母惟一房老與俱則腸鳴如雷矣桐鄉人皆以爲癡行且飢欲死出其長但文耳而其文又可傳而不可賣鷓鴣曰

姑試之安必其無一遇也因約聲始竟賣文餘友共賣文與詩麗農鷓鴣共賣書鷓鴣東莊共賣篆刻東莊獨賣字鼓峰掀髯曰終不令予单行鼓峰小楷類樂毅論及東方朔像贊行書逼米海岳間追顏尚書于是鼓峰東莊共賣字既以自食且以食友約成草于吳孟舉之尋暢樓孟舉書譌故奇艷涉筆成趣得天然第一謂吾手獨不堪賣耶然如予家不貧何曰請以字佐鼓峰東莊以書佐鷓鴣麗農吾出藝而諸君共收其直可乎衆曰幸甚東莊乃脫藁而屬孟舉書

反賣藝文

庚子作賣藝文錢牧齋見而歎曰昔之西園書記也今爲汝社許劍録玉山草堂雅集矣剡中黎洲先生德氷擊拳獨立排拓二百年之詩文於九流百家之術無不貫穿予欲廣賣藝文以位先生而以吳自牧之詩畫算數聲音之技附之鐘山民部黃半非射山陸辛齋聞之喜而見過黃民部者亦賣文字自作駢語小引久不見售辛齋則思賣而無伴於是皆欲寄賣于吾文更有一二循例請附者則不之許也有傳黎洲爲人作賣藝文引用爲例曰子法甚隘而黎洲

道廣耶予曰不然必有爲言之也未幾黎洲寄示此文果以徇故人之子請者又一例也或又曰子之徒益夥矣某郡若某某某鄉若某某皆援例賣藝方以子爲貨殖之祖可無虞其孤另而難行也已有工挾薦牘請見曰某某致語東莊工甚精幸厚遇之庶幾賣藝初意予始怪且笑已復自痛其立說不善害一至于斯也季布髡鉗子胥鼓簫相如滌器豫州種菜結髦柴桑乞食中散力鍛步兵哭喪織簾鬻屨負薪補鍋之徒趣有所託而志有所逃不極其辱身賤行不止也然未聞人奴市乞擔糞踏歌操作之賤工有

竊僞于諸子者且吾經年不見一買主而賣之如故此豈較良楛短長趨時變爭長落者哉富家褻客持金錢按吾文價價請此不直吾友一笑也何則藝固不可賣可賣者非藝東莊諸人以不賣爲賣者也且吾寧與人奴市乞擔糞踏歌操作之賤工伍耳人出丐販之下而欲假簒于豪賢此人奴市乞輩之所不爲者今有人墮落坎壈灰頭炭嗌沿門號索其唾罵不顧者常也雖不能飯而嘆憫焉長者也從而摹倣其形狀以爲嬉戲者此輕薄兒無人心者耳夫至沿門號索而猶不免于輕薄者之嬉戲予之所以滋悔也因以黎洲鷓鴣鼓峰孟舉自收約不復賣藝爲一例聲始已得食所賣不賣俱無與爲一例麗農半非辛齋浮沉客路勢不能自止竊僞嬉戲亦不暇計也聽其自賣爲一例嗚呼知予之賣藝也非衒奇則其不賣也亦非高價以絶物吾知後之哀其賣者又不如哀其不賣者之痛深也

丘震生筆說

山谷老人曰良工爲筆其擇毫也猶郭泰論士然毫爲兎次羊次狸又次輔之以縈兎最貴必雜以羊狸輔之以縈牧中材也然是物也終日握而不敗卒無損乎擇毫之道則最貴多與有工焉聚縈而束縛之參以羊狸渲毳爲衣固儼然毫也于是乎蛣蛤蒸獺猩毛鼠鬚雞翮之族則皆得起而嚇毫毫又無如何也然而其工則賤矣苕上丘震生蓋精于擇毫者於南國知書善屬文之士無不歷歷能指其名庚子季夏過予袖尺幅云欲通於其所能指名者余謂此曹方爲世所嚇恐未能厚子且勿去然丘子既精擇毫又能慕知書善屬文者真無媿爲工之有道矣知天下之不爲縈與羊狸者於丘子又有神合也書以果其行且一一致語

繞指柔　妙手脫尢無形有劍殺人如麻何須百煉

游戲自在　長年蕩槳孳丁撥棹有何老子大悟于禁道

款珠　臙臙膊膊藜藿腸磊磊落落生夜光曾不若一囊坐北堂

嬈胎鬟　西抹東塗奈何爲婆獨不見黃口小兒鼓龐胡

金僕姑　翻身向天仰射雲雲中委羽何紛紛

無心散卓　不立文字指揮如意天花墮地

客坐私告

某所最畏者有三一曰貴人夙遭多難震官府之威今夢見猶悸故雖平生交契一登仕途即不敢復近非過爲揀擇也心有恐懼習久成性耳對官僕如伍伯也捧大字青帖即牌檄也登朱門則惴惴焉大庭禰堂也二曰名士向苦社門之水火今喜此風衰息矣而變相傍出尤不可方物如選家論時藝幕賓談經濟尊宿說詩古文講師爭理學游客叙聲氣方技托知鑒介紹彼皆有所求耳接與不接總獲訾尤每晨起默禱但願此數公無一見及即終日大幸也三

曰僧生平畏僧甚于狠獛尤畏宗門之僧惟苦節文人托跡此中者則心甚愛之然邇年以來頗見托迹者開堂說法諂事大官即就此中求富貴利達方悟其托迹時原不爲此則可畏更過于僧矣又有九不能一曰寫字本不善書比苦痔瘍去血久筋脉顫振幷失其故矣二曰行醫靈蘭之書向未之讀也因家人病久醫友盤桓粗識數方間與親契論列遂爲謬許傳誤遠邇今三年之中兒喪女夭冢婦暴亡身患藏毒淋瀉支綴其能事可覩矣且年未五十須白齒墮癯疾一發臥起洗滌非人不便頹然一廢物豈能

鶻落 秋風震翮草枯眼疾爲君前驅百不失一

小椽媟爲神智騙何如埜火馬不見黑頭公滿天下

横行 起赤城流丹精破宛陵

醉鶴 飛飛摩蒼天實不持一錢

醉鶴飛飛摩蒼天實不持一錢

橫行走赤城流丹精吹笳歎

小梅湖下急雨智讀何如楚火焉不見黑頭公滿天

鶴落秋風雲翮草枯鳴弦爲君前彈百不失一

提囊行市耶三曰酬應詩文少孤失業又無師授不知行文之法每苦有情不能自達況應酬無情之言乎四曰批評朋友著作性不善諛而時尚所宗未展卷帙先須料簡諛詞又須揣合其意如曰惟公不好諛者乃佳其苦甚於夏畦五曰借書所實惜者惟此而友人借去輒不肯見還所謂借者一癡還者一癡也當永以爲鑒但欲依抄書社例各抄所有之書相易則可六曰薦牘凡人投契各有誼分標榜樹私乃門戸中籠絡之術吾戇而固安能爲此至醫關人命師長生徒尤不敢妄舉況有言不信亦無可舉處七

曰晏會病不能久坐優劇素所痛惡觴政爭呶多致生釁皆其所不堪八曰貨財之會親知嫌隙大約開貨財而銀會事非一人期非一日吾見始終無言者鮮矣況力實不勝其能免乎凡有告急但諒巳力所及有則贈之無則辭焉若必以會相強及居間借當之屬斷然不能九曰與講會吾身不能居仁由義何講之有凡此三畏九不能友朋間有知其大半者有知其一二者有全不知者但一不知而觸焉必因之得罪矣故不敢不布

壬子除夕示訓

吾自讀浦江鄭義門規範，卽慨然慕之。彼人也，我亦人也。彼爲法於一家，可傳於後世，我未之能逮也。願與吾子孫共存此志，期於必成。度其規制法度之全，勢不能猝備，當以漸爲之。而其根本大要不可緩者四，先與妻子諸婦立約相勉，其共聽焉。

一曰敬順。凡爲妻者必敬順其夫，爲子者必敬順父母，爲弟妹者必敬順兄嫂及姊，爲姪者必敬順伯叔，爲幼婦者必敬順長婦，如此則孝弟之道成矣。中心敬順，外間言語呼揖、行坐作爲，無不敬順。卽如行坐一節，吾每見兄立而弟自坐，夫立而妻自坐，長婦立而幼婦自坐，傲然自由，毫不肅恭起立。此雖小節，實卽不敬順之心所發也，今後推此戒之。

一曰無私。大凡人家分爭，兄弟不和，其端必始於妯娌。婦人小見，只要自好自管，後來自做私房。不知你要自好，誰人肯讓你獨好？一人要便宜，大家要便宜；一人存私，大家去存私，自然兄弟不和，不能同居矣。我今告視諸子媳婦，第一要斷絶此一點惡念頭，不可分此彊彼界。一應器物，大家用，大家收拾愛惜；有僮婢，大家使喚，大家教訓炤管；飲食大家分嘗，大家

收藏出客凡貨財產業一進一出必稟命於尊長不得擅自主張若有欺父毋瞞公婆私藏器物私造飲食私護僮婢私置田產私放花利私自借債做會等此是第一不孝查出卽行重責離逐大凡妯娌不睦必有小人從中搬鬬是非其所以搬鬬者皆因此疆彼界各房人各要獻媚於家主說別房不好以見其忠家主反道他護家曲爲庇護以致不解今大家不分爾我便永無此弊或有言語可疑便當告之尊長登時對會明白不可存留胸中此輩自無所容其閒矣

一曰勤儉每日雖無大事必要早起晏眠家長早起晏眠卑幼誰敢貪懶上人早起晏眠下人誰敢貪懶早起晏眠一日抵兩日吾目中所見敗家子破落戶無不晏起早眠者不可不戒也至於勤而不儉雖有亦立盡子孫蘩多衣食艱難今當事事節縮如食不必兼味衣用紬布勿好綾羅繡緞及金珠無益之物

一曰去邪凡聽信邪說則父子夫婦兄弟之間必無恩情必無禮義師尼老佛誘引唆鬬其害無窮布施騙財乃其小者也今吾家子孫婦女不論老少不許燒香念佛并不許喫觀音三官準提斗七等齋僧尼

老佛。不許往來。凡一應冠昏喪祭行禮不許用僧道。及陰陽禁忌阿婆經。妄言禍福。則自然邪不勝正。和氣致祥矣。其共聽而勉守之。壬子除夕。耻齋老人書。

甲寅鄉居偶書

某迂戾無狀屢獲罪於賢豪循省愆尤兩儀充塞而硜硜之性頑不可改必將蹈國武之禍用是屏跡丘樊不復溷厠里黨所冀知交待以移之遠方終身不齒之例愛我者譬某浪遊未返晤言雖渺筆札可通見惡者譬某已爲異物不見其人亦將置之不校則恩怨可以胥忘是非可以不論江湖浩浩放此餘生皆長者之賜也城市義旣不入村中亦無禮數見賓倘猶以往返驅使相責有斷不能奉命矣謹拜陳白伏冀慈諒

戊午一日示諸子

程子曰人無父母生日當倍悲痛更安忍置酒張樂以爲樂若具慶者可矣如是故天下生日之可慶者不多有也不多有而慶之也乃宜此終身不當慶之例也沈文端云古者以八十爲下壽近世乃有慶七十者文端萬曆閒人其言猶如此然則世俗縱不能行程子之說亦當俟七十以上乃可夫謂之慶者以其難得而得故足慶也使六十以下而慶焉是以宜短命詛之也非慶也此六十以下不當慶之例也然此皆泛論也在吾今日則更有所不可者吾遺腹孤

也父喪四月而始生墮地之日即縗衰麻生母抱孤而泣暈絕而甦撫於三兄嫂三歲而嫂亡已而出嗣考妣祖妣相繼奄棄十三歲本生母又卒母年僅三十七耳計自始生至十五歲未嘗脫衰絰視他兒衣綵繡曳朱履如衮舄之不易得人世孤苦無以加此每一追憶未嘗不心傷涕溢也平生未嘗一會親朋奉觴拜二人壽而身受子女族屬姻戚交遊之娛樂母年不能及四十而幸己之五十爲榮以父喪母哭之日爲置酒張樂之辰其可乎不可或謂吾遭多難厥宗幾覆今幸而爲不食之果斯可慶也若是則其

不可也滋甚人固有以生為重者亦有重於生者以生為重吾幾當死而不死則自戊亥以後無日不宜慶也何待五十如其有重於生也則偷息一日一日之恥也世有君子聞之曰夫夫也何為至今不死也則其僇嚴於鈇鉞又何慶之有故為吾計惟有閉門深匿以木葉蔽身以泥水亂迹如世間未嘗有我者斯得耳使以辱身苟活者為賢而慶之將置夫年不滿三十義不顧門戶斷脰飛首以遂其志義者於何地也此吾終身不當慶之義又有異乎他人者而六十以下之例又其小而不必言者也然此言不可告於親朋不得已援世俗避生之例俗之避也以明謙其下者以惜費費吾素所不惜謙亦無所謙聊以釋吾上下之痛而已凡親朋以壽盒祝儀來者愼勿受雖以此得罪勿顧也汝等見長者但叩頭辭謝且稟白吾語云良辰佳趣村酒野花奉諸先生杖履之歡正復有日豈必沾沾此際觸其惡緒而益其諐尤哉諒諸先生愛我且熟其硜硜必不怪也

癸亥初夏書風雨菴

到此菴中屏絶禮數病不見客隘不留卧經過游觀自來自去送迎應對一槪求恕久坐閑談爾我兩誤可惜工夫各有本務知者無言怒亦不顧問我何爲木雕泥塑何求老人書

遺令

不用巾亦不用幅巾但取皂帛裹頭作包巾狀衣用布或嫌俱用布太澁內襯子用紬一二件可也貼身不必用綿歛勿以我斂伯父法亦用之小斂大斂斂衾必須炤式

棺底俗用灰則土侵膚矣他物俱不妙惟將生楮揉碎實鋪棺底寸餘然後下七星板爲佳斂後棺中空隙之處以舊衣捱塞爲妙然下身必不彀亦莫如成塊生楮輕而且實凡未斂以前親族送生楮勿燒壞

帖子上稱呼但稱不孝子蓋世俗孤哀分配之稱原屬無理且有行不通處假如嫡母先亡而有後母乃丁父艱則將如何稱孤子則傷嫡母稱孤哀則傷後母此所謂行不通者也聞應士寅遺命一槩稱哀子渠所據儀禮喪稱哀子哀孫入廟稱孝子孝孫然不知哀子哀孫孝子孝孫皆祝史之詞非子孫自稱之名也古人居喪豈有狀帖與人通者哉

故舊親友有作祭奠者力辭之止受香燭惟新親翁勢必難辭須遣友致意雖作祭來斷不受也萬不得已領其准奠二兩多至四兩四兩以上回之不受

客來弔者止子孫親人哭不必令僕婦等代哭且多

婦人哭聲亦非禮也

雖新親遠客富貴之客止用蔬菜不用酒肉以遺命告之可也力作之人不在此例

一月即出殯於識村祖父墓之西壬山丙向三月即營葬請萬吉先先生主其事

一月先作主粉乾待葬時題主虞祭如禮仍安几筵

年老大而無子理當娶妾但不許娶娼妓及土妓之屬

子孫雖貴顯不許於家中演戲

呂晚村先生文集卷八終

行略

嗚呼先君之棄不孝輩也已再期矣日月不居音容莫及唯是生平言行之記闕焉未備每欲伸紙濡毫次第梗槩而意氣塡塞弗克宣達竊念先君立身大節著在人寰其學術文章議論四方學者罔不聞知固無待於不孝之稱述惟其緒言遺事或非外人所盡悉者茲不筆載誠恐日久散失疎忘以至於後之人傳聞異辭無所考據是重不孝輩通天之罪也故敢泣血而書之先君諱留良字莊生又諱光輪字用

晦號晚村姓呂氏先世爲河南人宋南渡時始祖諱繼祖爲崇德尉阻兵不得歸因家焉十世而至竹溪公諱淇爲錦衣武略將軍先君之高祖也曾祖諱相號種雲沔陽別駕妣孺人趙氏祖諱煥號養心山西行太僕寺丞妣宜人郭氏考諱元啟號空青鴻臚寺丞妣孺人黃氏初沔陽公以貲豪於鄉里倜儻好施倭寇逼出藏粟三巨艘以餉軍又助工築邑城之半阮中丞表其閭曰善人里公生三子長爲太僕公次諱烱號雅山泰興縣令季諱熯號心源淮府儀賓尚南城郡主是爲先君之本生祖考妣也本生考諱元

學號澹津萬曆庚子舉人繁昌縣令姚孺人郭氏繁昌公年六十九而卒已生子四長諱大良字伯魯次諱茂良字仲音刑部郎次諱願良字季臣維陽司李次諱瞿良字念恭邑諸生卒後四月而側室孺人楊氏生先君於登仙坊之里第〔明崇禎二年公始生〕行第五於是空青公卒無子乃以爲後焉先君生而神異穎悟絶人讀書三遍輙不忘八歲〔時明崇禎九年〕善屬文造語奇偉迥出天表時同邑孫子度先生爲里中社擇交甚嚴偶過書塾見所爲文大驚曰此吾老友也豈論年哉即拉與同遊先君垂髫據坐下筆千言立就芒彩四射諸名宿皆咋舌避其鋒癸巳〔按此時公廿五歲 清順治十年〕始出就試爲邑諸生每試輙冠軍聲譽籍甚時同里陸雯若先生方修社事操選政每過先君虚左請與共事先君一爲之提唱名流輻輳玳筵珠履會者常數千人女陽百里間遂爲人倫奧區詩筒文卷流布寓内人謂自復社以後未有其盛亦擬之如金沙婁東而先君意不自得也壬寅〔公三十四歲 清康熙元年〕之夏課兒讀書於家園之棣花閣息交絶游於選社一無所與時高旦中先生自鄞至黄晦木先生兄弟自剡至與同里吴孟舉自牧諸先生以詩文相倡和嘗作詩曰誰教失脚下漁磯心跡年年處處違雅集圖中衣帽

改黨人碑裏姓名非苟全始信譚何易餓死今知事最微醒便行吟埋亦可無慚尺布裹頭歸人莫測其

公三十八歲清康熙五年

所謂至丙午歲學使者以課士按禾且就試矣其夕造廣文陳執齋先生寓出前詩示之告以將棄諸生去且囑其爲我善全無令剩幾微遺憾執齋始愕眙不得應既而聞其衷曲本末乃起揖曰此眞古人所難但恨向日知君未識君耳於是詰旦傳唱先君不復入遂以學法除名一郡大駭親知無不奔問傍皇爲之短氣而先君方怡然自快復作詩有甑要不全行莫顧簣如當易死何妨之句但曰自此老子肩頭

更重矣於是歸臥南陽村向時詩文友皆散去乃摒擋一切與桐鄉張考夫鹽官何商隱吳江張佩葱諸先生及同志數人共力發明洛閩之學編輯朱子書以嘉惠學者其議論無所發洩一寄之於時文評語大聲疾呼不顧世所諱忌窮鄉晚進有志之士聞而

公五十歲清康熙十七年

興起者甚衆顧先君身益隱名益高戊午歲時有宏博之舉浙省屈指以先君名薦牒下自誓必死不孝

公五十二歲清康熙十九年

輩懼甚悉走謁當事祈哀固辭得免庚申夏郡守復欲以隱逸舉先君聞之乃於枕上剪髮襲僧伽服曰如是庶可以舍我矣害清溪徐方虎先生曰弟此病

日深浮生無幾已削頂爲僧從此木葉薇影得苟延數年完一兩本無用之書願望足矣世間紛紛總不涉病僧睹聞甲裏或疑之曰先生平生言距二氏今以儒而墨將貽天下來世口實其若之何先君亦默然不答僧名耐可字不昧號何求老人築室於吳興埭溪之妙山顏曰風雨菴峭壁寒潭長溪修竹有泉一泓構亭其上題以二妙先君幅巾拄杖逍遥其間惟四方問學之士晨夕從遊有濂溪吟風弄月之意顧先君自此亦病甚矣幼素有咯血疾方亮功之亡一嘔數升幾絶辛亥（時清康熙十年）以後遇意有拂鬱輒作至庚申

夏方對客語而郡劄適至噴嚏滿地坐客咸愕然自後病益劇先君自知不起嘗歎曰吾今始得尺布裹頭歸矣夫復何恨但夙志欲補輯朱子近思錄及三百年制義名知言集二書倘不成則辜負此生耳於是手批目覽猶矻矻不休門人子姪苦請稍輟以俟病間先君毅然曰一息尚存不敢不勉况此時精神猶堪收拾後此更何及耶雖發几起側稍示端緒然亦竟不能成也易簀前三日猶憑几改訂書義命不孝執筆一字未安輒佇思商酌其神明不亂如此病革門人陳鏦等入問曷以細心努力爲學呼不孝輩

公五十五歲 清康熙廿二年

諭以孝友大義而已已而曰我此時鼻息間氣有出無入矣言畢叉手安寢長逝此癸亥八月十有三日也嗚呼痛哉先君少秉至性事先祖毋楊孺人極孝孺人雖奇愛先君而教督尤嚴年十三時明崇禎十四年遭孺人喪哀毀踰禮又以生不得逮事繁昌公平生毋言及未嘗不嗚咽流涕也祭祀必竭誠盡敬其粢盛羹餼必豐以潔夙興行事未嘗不齋肅也遇諱辰未嘗不哀感也已病劇支綴家人祭祀猶必強起行禮不以憊故自免也大宗祠堂圮猶籃輿出城營度不以瀕死怠於祖先也少撫於三伯父事三伯父如嚴父已出爲

鴻臚公後貲藏甚厚而三伯父故豪奢好聲氣結納輙揮霍盡之歲大饑嘗爲友代輸漕粟一夕空其囷先君驩然以兄親愛視財無爾我絕無芥蔕恡惜也三伯父卒子亮功早世以先君爲喪主後十餘年拮据營葬三伯父父子於高原哭之盡哀又以孫懿緒繼亮功後曰吾以報三兄撫養恩亦使吾之子孫得以復奉本生繁昌公祀也二伯父與三伯父兄弟異居以禮數相持責譏間乘之差不相能四伯父撫於二伯父而與先君友愛最篤相與彌縫兩兄間四伯父卒先君曰吾兄死無爲爲善矣哀痛過常遺孤纔

歲餘撫視如已子以迄於成人晚年事二伯父尤敬二伯父性徑直先君每事推讓視形聽聲極意承奉之即有所諫正必緩解曲譬勿使傷其意也常遘疾先君爲之終夕不寐思所以療治之法復初乃安先君每曰吾生而無父今兄亦祇一人存視兄猶視父矣平生篤於朋友之誼遇有事不惜頂踵以赴其急交遊投贈傾筐倒篋忠盡歡竭曾無倦意嘗曰友所以輔仁也論交既定則急難通財乃分內事今人以通財急難而求友則不可以言友矣顧先君之所求者在此而友之所望於先君者或在彼兩雲翻覆千

變百幻先君祇待以一誠久而其人感動悔悟遇之如初其卒不可化或自以負塗之豕反害先君之潔身浣行而讐之者天下皆怪歎其爲人而於先君知人之明固無傷也初與陸雯若先生同社時雯若惑於讒與先君偶相失他社之人乘間說曰請絶雯若某等願執鞭弭以從先君笑曰吾與雯若小有言然門牆之閲也於諸君何與哉且諸君故可交亦奚必絶雯若而後從也其人乃愧服雯若早卒先君爲之經紀其家人謂眞不愧生死者有浮薄子盗名常獲陸先生左右力比其亡也作陸雯若墓誌痛加詆抹

先君甚不平之乃爲刊其東皐遺選序中悲涼感慨極寓其意所爲張耳陳餘之事是也甲辰（時清康熙三年）歲有故人死於西湖先君爲位以哭壞牆裂竹擬於西臺之慟已而葬於南屛山石壁下高旦中先生與先君交最厚許以女室先君之第四子忽致札曰某病甚將死矣家貧吾女恐不足以辱君子請辭人或勸從其請先君正色曰旦中與余義同車笠不應有是言此亂命耳卒娶之時會葬高先生於鄞之烏石山先君芒鞵冒雪哭而往山中人遥聞其聲曰此間無是人是必浙西呂用晦矣高氏子弟襲石將刻墓誌先君視

其文微辭醜詆乃歎曰銘之義稱美而不稱惡此何爲者也遂不復刻平生愛人以德不肯爲姑息以非義相成責難規過人或不能堪而諒其無他卒相畏服與吳自牧先生始以藝術文章交既而進以道義晚歲甚相依倚忽暴疾殞先君哭之慟曰吾質已亡矣吾亡以言之矣爰是有質亡集之刻幷及諸亡友之文章未表見於世者綴拾其遺事以傳焉葢先君貧交死友尤所鄭重凡友人之後富且貴者者輒不復通或以爲已甚先君曰吾自與富貴不相習耳非忘故人也方在髫亂時即能發明紫陽之學偶與姑

夫朱聲始先生議論及之大驚曰不意君所見便已到此境界眞神授也先君嘗謂洛閩淵源至靖難時中絕後來月川敬軒康齋敬齋諸人顛末由蘖僅能敷述緒論而微言不傳白沙陽明乘吾道無人之時祖大慧之餘智改頭換面陽儒陰釋以聾瞽天下之耳目而陽明之才氣尤足以鉗錘駕馭自是以後士之卑靡者旣溺於科舉詞章之習其有志於講明此理者倀倀焉如瞽之無相總不能脫離姚江之圈禝若羅整菴之困知記陳清瀾之學蔀通辨葢嘗極力攻其瑕纇而所見猶粗至後此講學諸儒未嘗不號

宗朱及論至精微所在則猶然金溪黑腰子也然則此學何由而明哉先君於佛老家言無不穿穴諸儒學錄悉所窮究若倉扁之於疾洞見其肺腑受病所在故能力斥其非詖淫邪遁之辭披抉呈露莫得而隱也嘗曰姚江之說不息紫陽之道不著至人以攻王目之則不受曰吾尊朱則有之攻王則未也凡天下辨理道闡絕學而有一不合於朱子者則不惜辭而闢之耳葢不獨一王學也王其尤著者爾或曰先生痛抹陽明太過得無爲矯枉救弊之言耶先君曰不然生平於此事不能含糊者只有是非二字陽明

以洪水猛獸比朱子而以孟子自居孟子是則楊墨非此無可中立者也若謂陽明此言亦是矯枉救弊則孟子云云無非矯救將楊墨告子皆得並纍於聖賢之路矣且論道理必須直窮到底不容包羅和會一着含糊卽是自見不的無所用爭亦無所用調停也卽從陽明家言渠亦直捷痛快直指朱子爲楊墨未嘗少假含糊也然則不極論是非之歸而務以渾融存兩是不特非孔孟程朱家法卽陽明而在亦以爲失其接機把柄矣又嘗歎曰道之不明也久矣今欲使斯道復明舍目前幾箇識字秀才無可與言者

而舍四子書之外亦無可講之學故晚年黜勘八股文字精詳反覆窮極根柢每發前人之所未及樂不爲疲也有疑時文恐不足以講學者先君曰事理無大小文義無精粗莫不有聖人之道焉但能篤信深思不失聖人本領卽擇之狂夫察之邇言皆能有得況聖賢經義乎其病在幼時入塾卽爲村師所誤授以鄙悖之講章以爲章句傳註之說不過如此薫以猥陋之時文則以爲發揮理解與文字法度之妙不過如此凡所爲先儒之精義與古人之實學槩未有知其自視章句傳註文字之道原無意味也已而聞

外聞有所謂講學者其說頗與向所聞者不類大旨多追尋向上直指本心恍疑此爲聖學之眞傳而向所聞者果支離膠固而無用則盡棄其學而學焉一入其中益厭薄章句傳註文字不足爲而別求新得之解自正嘉以來講學諸公皆不免此故從來俗學與異學無不惡章句傳註文字者而村師與講學先生其不能精通經義亦一也乃反謂經義必不可以講學豈不悖哉自先君之說出天下之士始而怪中而疑終乃大信今者鹿洞之遺書同南陽之許本無不家庋戶肄後生末學皆知是非邪正如冰炭之不可同器騃騃然陰翳消而日月懸也世皆以歸先君閑闢之功焉又見從來講學者每以聲利相招集意甚疾之以爲學者當先從出處去就辭受交接處畫定界限札定脚根而後講致知主敬工夫方足破良知之黠術窮陸派之狐禪蓋自宋以後春秋變例先儒不曾講究到此別須嚴辨方可下手入德耳平生不爲小廉曲謹而於非義所在一介不苟也嘗曰吾輩今日雖倒溝壑然有數種食決不可就也矯節高名而苟且凡百目前紛紛名輩或未能免此矣然餓死事小當無忘此志耳自棄諸生後或提囊行藥以

自隱晦且以效古人自食其力之義而遠近復爭求之乃歎曰豈可令人更識韓伯休耶於是雖親故皆謝不往矣每云吾性畏貴人對官僕如伍伯也捧大字書帖如牌檄也登朱門則惴惴焉大庭福堂也抱病村居四方交遊羔雁造門者皆支扉拒之官於浙者皆以不得識先君爲憾雖以勢强逼之不可得而屈辱也蓋先君嚴苦之節出於至誠而守之旣久天下亦知其素所樹立故每能伸其志世之不快於先君者或能造作流言以相疑謗至於立身持已皭然不滓則固不得而訾議之也嘗游金陵遇施愚山先

生於廣座愚山論學先君不數語中其隱痛愚山不覺泚瀾失聲坐客皆驚遷延避去於禾遇當湖陸稼書先生語移日甚契稼書商及出處先君曰一命之士苟存心於愛物於人必有所濟君得毋誤疑是言歟及先君卒稼書在靈壽爲文致弔猶不忘斯語焉龍山查漢園少負駿才好良知縱横之學解后先君相與辨論往復甚苦至夜分忽蹷而起曰不聞君言幾悞此一生矣願爲弟子卽舍棄場屋遁南陽村逾月而後歸人問何如曰殆非復人間世耳新安施虹玉與其鄉人篤守考亭之學襆被過訪告以綱目凡

例未發之蘊歎爲聞所不聞平居講習未嘗標立宗旨曰吾儒之學正當從其支流脈絡辨别精微方見道理精切處耳一立宗旨卽是驀頂鶻突且無論其所標立者云何已失時中變動之義矣惟異端之學有綱提訣授吾儒無是也故凡與學者言皆隨事指點各就其識力功候之所至或誘而進之或折而奪之煅煉人材之法非可執泥至於本領歸宿所在則又未嘗不同也誨人不倦每講論常至丙夜然辭旨明快聽者忘疲尤喜辨難反覆竭其兩端學者與先君游經義治事隨其淺深無不各有所得負笈擔簦不遠千里遐陬荒裔之士或有設位遥拜名弟子者天下方翕然以爲有所依歸而中道捐棄宜乎聞訃之日世之學者無不震悼以爲斯道之不幸也嗚呼痛哉先君頎身嶽立音如洪鐘風采峻厲遇事盤錯疑難迎刃立解精神過人高旦中先生常曰晚村百冗蝟毛八面受敵則神愈閑氣愈攝精采愈煥發殆神勇耶丁酉倡社邑中數郡畢至敦盤裙屐讌樂紛沓先君指揮部署之終會不失一匕箸人服其綜理之密他人或分任什一幸不能辦也二伯父馭下素嚴猝有家奴之變奴輩百餘人刲盟寢室二伯父且

清順治十四年

受制計無所出先君爲客畫擒治之皆伏法從兄某爲奴所誣累事涉錢課考覆邑令强欲坐之先君執不可得雖以是忤邑令意失好友歡不顧也凡親戚有急呼將伯者皆以身當之弗避禍患其居鄉也歲饑則議賑疾癘作散藥畀所活常數千人萑苻充斥則講保甲法其措置方畧皆有至理非人所能及有妖僧將構小九華於邑之北門煽惑愚俗富室輸金錢豪猾恣漁獵以福田形勢爲辭既營建矣先君適自金陵歸見之大詫乃貽書知交責以衛道闢邪且令門人董杲爲邑令言指陳利害數有不可者七卒

毀去之先君雖息影深鄉而黨言清議人猶有所畏忌惟恐其聞知其居家也闔門之内肅肅雝雝教子弟有家法御臧獲輩皆嚴而有恩平生不事生産封殖而以勤儉自勵夙興夜寐終日乾乾木屑竹頭處之各當靡不經心常指示不孝輩曰卽此便是學汝等勿看作兩橛也其冠昏祭祀皆痛除俗禮之非自定儀節喪事不用浮屠邑中士大夫家多有效之者嘗讀浦江鄭氏規範慨然歎曰吾生不得與三代此事猶堪式萬方汝等其勉爲之以成吾志所著有詩集幾卷文集幾卷制義一卷所評有諸先輩稿及天

蕃樓偶評若干於醫有趙氏醫貫評所選有宋詩鈔初集唐宋大家古文惟朱子近思録及知言集二書未就而卒先君博學多材凡天文讖緯樂律兵法星卜筭術靈蘭青烏丹經梵志之書莫不洞曉工書法逼顔尚書米海嶽晚更結密變化少時能彎五石弧射輒命中餘至握槊投壺彈琴撥阮摹印斵研技藝之事皆精絶然別有神會人卒不見其功苦習學也世每以此相歎羡先君曰此鄙事耳君子不貴也常因吳自牧好奕思諌之遂終身不近碁局晚年悉力屛謝雖書字亦不爲矣生崇禎己巳正月二十一日

距卒康熙癸亥享年五十有五娶范氏天啟甲子舉人翠華公諱金路女與先君有偕隱志子男七人長公忠今名葆中主忠寶忠詠忠補忠納忠止忠孫男五人懿曆懿緒懿業懿威懿統以懿緒爲亮功後卽以其年十一月二十九日葬於識村東長坂橋西祔太僕公之穆遵遺命也先君生而孤露長而患難壯而風塵及其晚也方思寤歌泉石而悲天憫人之意與逃名畏禍之心兩者未嘗一日去於其懷素所負志甚遠大旣而生不逢時乃一以著書立言爲己任孳孳兀兀不自暇逸曰庶其假我年乎而孰知天之

復靳而不予也嗚呼其命也夫至於平日動靜語默無行不與神明狀貌非可悉傳而又嘗命不孝曰吾於人倫往往皆值其變汝等他日欲稱吾之善而傷吾心不可也乃别作內傳以紀隱德不敢以示于人兹所述者僅其什一而已惟世之有道君子哀而垂覽焉男公忠謹述

呂晚村先生文集附錄終